40	forty	'fo:ti
50	fifty	'fif
60	sixty	'.....
70	seventy	
80	eighty	
90	ninety	'nainti
100	one hundred	'wan 'handrəd
101	one hundred and one	'wan 'handrəd‿ən‿'wan
102	one hundred and two	'wan 'handrəd‿ən‿'tu:
110	one hundred and ten	'wan 'handrəd‿ən‿'ten
111	one hundred and eleven	'wan 'handrəd‿ən‿i'levn
120	one hundred and twenty	'wan 'handrəd‿ən‿'twenti
200	two hundred	'tu: 'handrəd
300	three hundred	'θri: 'handrəd
400	four hundred	'fo: 'handrəd
437	four hundred and thirty-seven	'fo: 'handrəd‿ən θö:ti'ßevn
500	five hundred	'faiv 'handrəd
600	six hundred	'ßikß 'handrəd
700	seven hundred	'ßevn 'handrəd
800	eight hundred	'äjt 'handrəd
900	nine hundred	'nain 'handrəd
1 000	one thousand	'wan 'θausnd
2 000	two thousand	'tu: 'θausnd
10 000	ten thousand	'ten 'θausnd
100 000	one hundred thousand	'wan 'handrəd 'θausnd
1 000 000	one million	'wan 'miljən

info Null wird bei Telefonnummern [ou] ausgesprochen.
Beim Sport heißt 0 nil, beim Tennis love.
Bei Zahlen ab 1.000 steht im Englischen statt des Punktes ein Komma (also 1,000).
Bei Dezimalzahlen steht anstelle des deutschen Kommas (z.B. 0,5) ein Punkt (also 0.5).

🔊 Das Allerwichtigste

Guten Tag!	Good afternoon! gud_a:ftə'nu:n!
Guten Abend!	Good evening! gud_'i:vning!
Auf Wiedersehen!	Goodbye! gud'bai!
..., bitte!	..., please! ..., pli:s!
Danke!	Thank you! 'θänk_ju!
Ja.	Yes. jeß.
Nein.	No. nou.
Entschuldigung!	Sorry! 'ßori!
Rufen Sie schnell einen *Arzt / Krankenwagen*!	Get *a doctor / an ambulance*, quick! 'get_ə 'doktə / ən_ 'ämbjulənß, 'kwik!
Wo ist die Toilette?	Where are the toilets? 'weər_ə ðə 'tojlətß?
Wann?	When? wen?
Was?	What? wot?
Wo?	Where? weə?
Hier.	Here. hiə.
Dort.	There. ðeə.
Rechts. / Links.	On the *right / left*. on ðə 'rait / 'left.
Haben Sie ...?	Do you have ...? du_ju häv ...?
Ich möchte ...	I'd like ... aid 'laik ...
Was kostet das?	How much is that? hau 'matsch_is ðät?
Wo ist ...?	Where is ...? 'weər_is ...?
Wo gibt es ...?	Where can I get ...? 'weə kən_ai 'get?

III

Langenscheidt

Sprachführer
Englisch

mit Reisewörterbuch
und Kurzgrammatik

Langenscheidt

Berlin · München · Wien · Zürich · New York

Herausgegeben von der Langenscheidt-Redaktion
Englischer Text: Charlotte Collins
Lautschrift: Dr. Lutz Walther
Grafik-Design: Kathrin Mosandl

Bildnachweis:
Brendli, R.: S.56, 58; British Airways: S.35, 39; British Tourist Authority:
S.21, 25, 131, 152, 165, 194; Corbis Images: S.11, 146, 197; Depart-
ment of Transport, London: S.49; EyeWire Images: S.67, 147; John
Foxx Images: S.27; Langenscheidt-Longmann: S.152, 170; Lindner, G.:
S.30; MEV: S.61, 63, 65, 134, 136, 138, 141, 142, 201; Photo Alto:
S.18, 71; PhotoDisc: S.75, 149, 162, 189, 193; Schulz, Tim: S.44;
Stockbyte: S.94, 97, 101, 102, 106, 108, 119, 129, 171, 178, 186

Abkürzungen:

adj	Adjektiv
adv	Adverb
pl	Plural
sg	Singular

Umwelthinweis: gedruckt auf chlorfrei gebleichtem Papier

© 2008 by Langenscheidt KG, Berlin und München
Druck: CS-Druck CornelsenStürtz GmbH & Co. KG, Berlin
Bindung: Stein + Lehmann, Berlin
Satz: Claudia Wild, Stuttgart
Printed in Germany
ISBN 978-3-468-22127-9
www.langenscheidt.de

11040

Reisen mit Kindern _____ 61

Behinderte _____ 67

Kommunikation _____ 71

Essen und Trinken_____75

Einkaufen_____101

Sport und Entspannung____131

Kultur und Nachtleben____149

Behörden_____165

Gesundheit _____171

Die Zeit _____189

Wetter und Umwelt _____197

Der rote Pfeil verweist Sie auf andere Kapitel, in denen Sie weitere passende Wörter und Sätze finden.

Bei Auslassungspunkten in einem Satz können Sie das einsetzen, was Sie gerade sagen möchten. Passende Ergänzungen finden Sie in der Liste „weitere Wörter" zu jedem Abschnitt oder Kapitel.

Kleidung

Kleidung kaufen

Ich suche …	I'm looking for … aim 'luking fə …
What size are you?	Welche Größe haben Sie?
Ich habe (die deutsche) Größe …	I'm (continental) size … aim (konti'nentl) 'ßais …
🌐 Haben Sie das auch in Größe …?	Do you have it in a size …? du_ju häv_it_in_ə 'ßais …?
🌐 Haben Sie das auch in einer anderen Farbe?	Do you have it in a different colour? du_ju häv_it_in_ə 'difrənt 'kalə?

▶ *Farben,* Seite 116

🌐 Kann ich das anprobieren?	Could I try this on? kud_ai 'trai ðiß_'on?
Das ist mir zu *groß* / *klein.*	It's too *big* / *small.* itß 'tu: '*big* / '*ßmo:l.*

Manchmal sind in einem Satz zwei verschiedene Möglichkeiten angegeben. Diese sind kursiv gesetzt und mit Schrägstrich getrennt. Sie müssen sie dann entsprechend auflösen, je nachdem, was Sie sagen wollen; also entweder „Das ist mir zu groß." It's too big. oder „Das ist mir zu klein." It's too small.

Sätze mit diesem Symbol können Sie auf der CD hören.

Wenn es mehrere Möglichkeiten gibt, einen Satz fortzuführen, stehen die möglichen Ergänzungen unter dem Satz. Setzen Sie die passende Ergänzung in die Lücke mit den drei Punkten ein.

Öffentlicher Nahverkehr

Wo ist die nächste …

– U-Bahn-Station?

– Bushaltestelle?
– Straßenbahnhaltestelle?

Where's the nearest …
'weəs_ðə niərəßt …

– underground station?
'andəgraund 'ßtäjschn?

– bus stop? 'baß_ßtop?
– tram stop? 'tram ßtop?

Wo hält der Bus nach …?

Welcher Bus / Welche U-Bahn fährt nach …?

Um Ihnen die Aussprache zu erleichtern, sind alle englischen Sätze und Wörter zusätzlich in Lautschrift angegeben.

The bus number …

The … line

Wann fährt der nächste Bus / die nächste U-Bahn nach …?

Wann fährt der letzte Bus?

Der Bus Nummer …

Die Linie …

When's the next bus / underground to …? 'wens ðə 'nekßt 'baß / 'andəgraund tə …?

What time is the last bus? wot_'taim is ðə 'la:ßt 'baß?

Sätze, die Sie nicht selber sagen werden, die man aber vielleicht zu Ihnen sagt, haben wir in umgekehrter Sprachrichtung (also links Englisch, rechts Deutsch) aufgenommen.

Aussprache

a	much matsch	wie <u>a</u> in K<u>a</u>mm
a:	hard ha:d	wie <u>a</u> in V<u>a</u>ter
ä	cat kät	etwa wie <u>ä</u> in G<u>ä</u>rtner
e	let let, men men	etwa wie <u>e</u> in B<u>e</u>tt
ə	arrival ə'raivəl	wie <u>e</u> in bitt<u>e</u>
i	big big	wie <u>i</u> in M<u>i</u>tte
i:	see ßi:	wie <u>ie</u> in n<u>ie</u>
o	lot lot	wie <u>o</u> in G<u>o</u>tt
o:	water 'wo:tə	wie <u>o</u> in D<u>o</u>se
ö:	first fö:ßt	wie <u>ö</u> in L<u>ö</u>ffel
u	good gud	wie <u>u</u> in M<u>u</u>tter
u:	room ru:m	wie <u>uh</u> in Sch<u>uh</u>
ai	night nait	wie <u>ei</u> in N<u>ei</u>d
äj	eight äjt	wie <u>ai</u> in E-M<u>ai</u>l
au	now nau	wie <u>au</u> in bl<u>au</u>
eə	hair heə	wie <u>är</u> in B<u>är</u>
iə	here hiə	wie <u>ier</u> in B<u>ier</u>
oj	boy boj	wie <u>eu</u> in n<u>eu</u>
ou	home houm	wie <u>ou</u> in Sh<u>ow</u>
uə	tour tuə	wie <u>ur</u> in K<u>ur</u>
j	yes jeß	wie <u>j</u> in <u>j</u>etzt
v	very 'veri	wie <u>w</u> in <u>w</u>issen
w	way wäj	sehr kurzes <u>u</u> – kein deutsches w!
ng	thing θing	wie <u>ng</u> in Di<u>ng</u>
r	rest reßt	nicht rollen!
ß	see ßi:	wie <u>ß</u> in flie<u>ß</u>en
s	is is	wie <u>s</u> in le<u>s</u>en
sch	shop schop	wie <u>sch</u> in <u>sch</u>ade
tsch	cheap tschi:p	wie <u>tsch</u> in <u>tsch</u>üs
<u>sch</u>	vision 'vischən	wie <u>g</u> in <u>G</u>enie
<u>dsch</u>	just dschaßt	wie <u>j</u> in <u>J</u>ob
θ	thanks θänkß	gelispeltes <u>ß</u>
ð	that ðät	gelispeltes <u>s</u>
'	Die nachfolgende Silbe wird betont.	
:	Der vorhergehende Vokal wird lang gesprochen.	
‿	Die Wörter werden eng zusammenhängend gesprochen.	

Erste Kontakte

Wie geht es dir?
How are you?

Schön, dich kennengelernt zu haben.
It was nice meeting you.

Sich verständigen

🔊 Sprechen Sie Deutsch?   Do you speak German?
du_ju ßpi:k 'dschö:mən?

Gibt es hier jemanden, der Deutsch spricht?   Does anyone here speak German?
dəs_'eniwan hiə ßpi:k 'dschö:mən?

Haben Sie verstanden?   Did you understand that?
did_ju_andə'ßtänd ðät?

🔊 Ich habe verstanden.   I understand. ai andə'ßtänd.

🔊 Ich habe das nicht verstanden.   I didn't understand that.
ai 'didnt andə'ßtänd ðät.

🔊 Könnten Sie bitte etwas langsamer sprechen?   Could you speak a bit more slowly, please? kud_ju 'ßpi:k_ə bit mo: 'ßlouli, pli:s?

🔊 Könnten Sie das bitte wiederholen?   Could you please repeat that?
kud_ju pli:s ri'pi:t ðät?

Wie heißt das auf Englisch?   What's that in English?
'wotß ðät in_'inglisch?

Was bedeutet ...?   What does ... mean?
'wot dəs ... 'mi:n?

Könnten Sie es mir bitte aufschreiben?   Could you write it down for me, please? kud_ju 'rait_it 'daun fə mi, pli:s?

Sich begrüßen und verabschieden

Guten Morgen!   Good morning! gud 'mo:ning!

🔊 Guten Tag!   Good afternoon! gud_a:ftə'nu:n!

🔊 Guten Abend!   Good evening! gud_'i:vning!

12

🔊 Gute Nacht!   Good night! gud 'nait!

🔊 Hallo!   Hello! hə'lou!

info Beim Vorstellen lauten die Begrüßungsformeln formell How d'you do? hau dju: 'du:? bzw. *Pleased/Nice* to meet you. 'pli:sd/ 'naiß tə 'mi:t ju:. – oder ganz einfach Hello! Auch die Antwort auf How d'you do? lautet How d'you do?

🔊 Wie geht es *Ihnen/dir*?   How are you? hau_'a: ju:?

   Wie geht's?   How are things? 'hau_ə 'θings?

   Danke, gut. Und   Fine, thanks. And you?
   Ihnen/dir?   'fain, 'θänkß. ənd 'ju:?

   Es tut mir leid, aber ich   I'm afraid I have to go now.
   muss jetzt gehen.   aim ə'fräjd ai häv_tə 'gou nau.

🔊 Auf Wiedersehen!   Goodbye! gud'bai!

   Bis *bald/morgen*!   See you *soon/tomorrow*!
       'ßi: jə 'ßu:n/tə'morou!

🔊 Tschüs!   Bye! bai!

🔊 Schön, *Sie/dich* ken-   It was nice meeting you.
   nengelernt zu haben.   it wəs 'naiß 'mi:ting ju:.

   Gute Reise!   Have a good trip! häv_ə gud 'trip!

info Im Englischen unterscheidet man nicht zwischen „du" und „Sie". Hier redet man sich auch viel schneller mit Vornamen an, im privaten wie auch im beruflichen Bereich. Auch was das Händeschütteln angeht, müssen Sie sich nicht so sehr anstrengen: Man gibt sich höchstens – aber nicht immer – bei der ersten Vorstellung die Hand. Im Geschäftsleben ist das Händeschütteln allerdings öfter anzutreffen als im Alltag.

Sich kennenlernen

Sich bekannt machen

🌐 Wie *heißen Sie / heißt du?*

What's your name? 'wotß jo 'näjm?

🌐 Ich heiße …

My name is … mai 'näjm_is …

Darf ich bekannt machen? Das ist …

May I introduce … 'mäj_ai intrə'dju:ß …

– mein Mann.
– meine Frau.
– mein Freund.
– meine Freundin.

– my husband. mai 'hasbənd.
– my wife. mai 'waif.
– my boyfriend. mai 'bojfrend.
– my girlfriend. mai 'gö:lfrend.

info Boyfriend bzw. girlfriend verwendet man für *Freund(in)* in der Bedeutung von *Partner*. *Freund* oder *Freundin* im allgemeinen Sinne wird im Englischen nur mit friend ausgedrückt.

🌐 Woher *kommen Sie / kommst du?*

Where do you come from? 'weə du_ju 'kam from?

Ich komme aus …

I'm from … 'aim frəm …

– Deutschland.
– Österreich.
– der Schweiz.

– Germany. 'dschö:məni.
– Austria. 'oßtriə.
– Switzerland. 'ßwitßələnd.

Sind Sie / Bist du verheiratet?

Are you married? a:_ju 'märid?

🌐 *Haben Sie / Hast du* Kinder?

Do you have any children? du_ju häv_eni 'tschildrən?

Was *machen Sie / machst du* beruflich?

What do you do for a living? 'wot du_ju 'du: fər_ə 'living?

14

Sich verabreden

🔊 Treffen wir uns *heute Abend / morgen*?
Shall we meet up *tonight / tomorrow*? schəl wi miːt‿ˈap təˈnait / təˈmorouʔ

Wir könnten etwas zusammen machen, wenn *Sie möchten / du möchtest*.
We could do something together, if you like. wi kud ˈduː ˈßamθing təˈgeðə, if jə ˈlaik.

Wollen wir heute Abend zusammen essen?
Shall we have dinner together tonight? schəl wi häv ˈdinə təˈgeðə təˈnait?

▶ *Abends ausgehen,* Seite 163

🔊 Ich möchte *Sie / dich* einladen.
I'd like to take you out. aid ˈlaik tə ˈtäjk‿ju‿ˈaut.

Möchten Sie / Möchtest du tanzen gehen?
Would you like to go dancing? wud‿ju ˈlaik tə gou ˈdaːnßing?

🔊 *Wann / Wo* treffen wir uns?
What time / Where shall we meet? wot‿ˈtaim / ˈweə schel wi ˈmiːt?

Treffen wir uns doch um ... Uhr.
Why don't we meet at ... ˈwai dount wi ˈmiːt‿ət ...

Ich hole *Sie / dich* um ... Uhr ab.
I'll pick you up at ... ail ˈpik‿ju‿ˈap‿ət ...

Ich bringe *Sie / dich* nach Hause.
I'll take you home. ail ˈtäjk ju ˈhoum.

Ich bringe Sie zur Bushaltestelle.
I'll take you to the bus stop. ail ˈtäjk ju tə‿ðə ˈbaß‿ßtop.

🔊 Sehen wir uns noch einmal?
Could we meet again? kud‿wi ˈmiːt‿əˈgen?

15

Zusagen oder ablehnen

 Sehr gerne.   I'd love to.   aid 'lav tu.

In Ordnung.   OK.   ou'käj.

 Ich weiß noch nicht.   I don't know yet.   ai dount 'nou jet.

 Vielleicht.   Maybe.   'mäjbi:.

Es tut mir leid, aber ich kann nicht.   I'm sorry, I'm afraid I can't.   aim 'ßori, aim ə'fräjd ai ka:nt.

Flirten

▶ *Sich verabreden,* Seite 15

 Sind Sie / Bist du alleine hier?   Have you come on your own?   häv‿ju 'kam on jor‿'oun?

Hast du *einen Freund / eine Freundin?*   Have you got a *boyfriend / girlfriend*?   häv‿ju got‿ə 'bojfrend / 'gö:lfrend?

 Du bist wunderschön.   You're very beautiful.   jo: 'veri 'bju:təfl.

Du gefällst mir.   I like your style.   ai 'laik jo 'ßtail.

 Ich liebe dich.   I love you.   ai 'lav ju:.

 Ich bin gerne mit dir zusammen.   I love spending time with you.   ai 'lav 'ßpending 'taim wið ju:.

Wann sehe ich dich wieder?   When will I see you again?   'wen wil‿ai 'ßi: ju ə'gen?

Kommst du mit zu mir?   Are you coming back to my place?   a:‿ju 'kaming 'bäk tə‿'mai 'pläjß?

Lass mich in Ruhe!   Leave me alone!   'li:v mi‿ə'loun!

Höfliche Wendungen

Gefallen und Missfallen ausdrücken

🔊 Sehr gut!	Very good! veri 'gud!
Ich bin sehr zufrieden!	I'm very happy. aim 'veri 'häpi.
🔊 Das gefällt mir.	I like that. ai 'laik ðät.
🔊 Sehr gerne.	I'd love to. aid 'lav tu.
🔊 Das ist mir egal.	I don't mind. ai dount 'maind.
Wie schade!	What a pity! 'wot_ə 'piti!
Ich würde lieber …	I'd rather … aid 'ra:ðə …
Das gefällt mir nicht.	I don't like it. ai dount 'laik_it.
Das möchte ich lieber nicht.	I'd rather not. aid 'ra:ðə 'not.
Das ist sehr ärgerlich.	That's very annoying. ðätß 'veri_ə'nojing.
🔊 Auf keinen Fall.	Certainly not. 'ß:tnli 'not.

Bitten und Danken

🔊 Vielen Dank.	Thank you very much. 'θänk_ju 'veri 'matsch.
Danke, gleichfalls.	Thanks, you too. 'θänkß, 'ju: 'tu:.
🔊 Darf ich?	May I? 'mäj_ai?
🔊 Bitte, …	Please, … pli:s, …
🔊 Nein, danke.	No, thank you. 'nou, 'θänk_ju.

17

Könnten Sie mir bitte helfen?	Do you think you could help me? du_ju 'θink jə kəd 'help mi:?
🔵 Vielen Dank, das ist sehr nett von Ihnen.	Thank you, that's very kind of you. 'θänk_ju, ðätß 'veri 'kaind_əv ju:.
Vielen Dank für Ihre *Mühe / Hilfe*.	Thank you very much for all your *trouble / help*. 'θänk_ju 'veri 'matsch fər_'o:l jo *'trabl / 'help*.
🔵 Gern geschehen.	You're welcome. jo 'welkəm.

info In Großbritannien ist man beflissen, sich auch für die kleinsten Kleinigkeiten ausführlich zu bedanken. Sie sollten sich also ein paar Varianten merken, wie z.B. Thank you!, Thank you very much!, Thank you very much indeed! Für den deutschen Ausdruck *Bitte!* gibt es dagegen nicht immer eine Entsprechung. Wenn man jemandem etwas gibt, braucht man eigentlich gar nichts zu sagen. Wenn Ihnen das als Deutschsprachiger schwerfallen sollte, können Sie aber durchaus There you are! sagen.
Auch die Entsprechungen für *Bitte!* als Antwort auf ein Dankeschön werden nicht so häufig verwendet. Man kann You're welcome! erwidern, was allerdings eher amerikanisch klingt.

Sich entschuldigen

Entschuldigung!	Sorry! 'ßori!
🔊 Entschuldigen Sie!	Excuse me! ik'ßkju:s mi:!
🔊 Das tut mir leid.	I'm sorry about that. aim 'ßori ə'baut 'ðät.
🔊 Macht nichts!	Don't worry about it! dount 'wari_ə'baut_it!
Das ist mir sehr unangenehm.	How embarrassing! hau im'bäreßing!
Das war ein Missverständnis.	It was a misunderstanding. it wəs_ə 'mißandə'ßländing

Erste Kontakte: weitere Wörter

Adresse	address ə'dreß
allein	alone ə'loun
Bruder	brother 'braðə
einladen	to take out for a meal täjk_'aut fər_ə 'mi:l
einladen *(zum Essen)*	to invite in'vait
erfreut	delighted di'laitid
Frau *(Anrede)*	Madam 'mädəm
Frau *(Ehefrau)*	wife waif
Freund *(allg.)*	friend frend
Freundin *(allg.)*	girlfriend 'gö:lfrend
Freundin *(Partnerin)*	boyfriend 'bojfrend
Freund *(Partner)*	friend frend
heißen; ich heiße	to be called; my name is bi: 'ko:ld; mai 'näjm_is
Herr *(Anrede)*	Sir ßö:
Junge	boy boj
kennenlernen	to meet mi:t

19

Kind	child	tschaild
kommen aus	to be from	'bi: frəm
Land	country	'kantri
langsam	slowly	'ßlouli
Mädchen	girl	gö:l
Mann *(Ehemann)*	husband	'hasbənd
mögen	to like	laik
Mutter	mother	'maðə
Partner(in)	partner	'pa:tnə
Schule	school	ßku:l
Schwester	sister	'ßißtə
Sohn	son	ßan
sprechen	to speak	ßpi:k
Stadt	town	taun
Student(in)	student	'ßtju:dnt
studieren	to study	'ßtadi
tanzen gehen	to go dancing	gou 'da:nßing
Tochter	daughter	'do:tə
treffen, sich	to meet	mi:t
Urlaub	holiday	'holədäj
Vater	father	'fa:ðə
verabreden, sich	to make a date	mäjk ə 'däjt
verheiratet	married	'marid
verlobt	engaged	in'gäjdschd
Verlobte	fiancée	fi'onßäj
Verlobter	fiancé	fi'onßäj
verstehen	to understand	andə'ßtänd
warten	to wait	wäjt
wenig	a little	ə 'litl
wiederholen	to repeat	ri'pi:t
wiederkommen	to come back	kam _'bäk
wiedersehen, (jdn)	to see (someone) again	ßi: ('ßamwan) ə'gen

Über-
nachten

Für mich ist bei Ihnen ein Zimmer reserviert.
You have a room reserved for me.

Bitte den Schlüssel für Zimmer …
The key to room …, please.

Hotel, Pension, Privatunterkunft

Zimmersuche

🌐 Wo ist die Touristeninformation?

Where's the tourist information office? 'weəs ðə 'tuərißt infə'mäjschn ofiß?

🌐 Wissen Sie, wo ich hier ein Zimmer finden kann?

Do you know where I can find a room here? du ju 'nou weər_ai kən 'faind_ə 'ru:m hiə?

Ich suche eine Unterkunft im Zentrum.

I'm looking for a room in the centre. aim luking fər_ə ru:m in ðə 'ßentə.

🌐 Können Sie mir ... empfehlen?

Can you recommend ... kən_ju rekə'mend ...

– ein gutes Hotel
– ein preiswertes Hotel

– a good hotel? ə 'gud hou'tel?
– a reasonably priced hotel? ə 'ri:snəbli praißt hou'tel?

– eine Pension

– a bed & breakfast place? ə 'bed_ən 'brekfəßt pläjß?

Wie viel kostet es (ungefähr)?

How much is it (approximately)? hau 'matsch_is_it_(ə'prokßimətli)?

🌐 Können Sie für mich dort reservieren?

Could you book me in there? kud_ju 'buk mi_'in ðeə?

Gibt es hier eine Jugendherberge / einen Campingplatz?

Is there a youth hostel / campsite around here? is ðər_ə 'ju:θ hoßtl / 'kämpßait ə'raund 'hiə?

🌐 Ist es weit von hier?

Is it far from here? is_it 'fa: frəm hiə?

🌐 Wie komme ich dorthin?

How do I get there? 'hau du_ai 'get ðeə?

22

Ankunft

🔊 Für mich ist bei Ihnen ein Zimmer reserviert. Mein Name ist ...

You have a room reserved for me. My name is ... ju häv_ə 'ru:m ri'sö:vd fə_mi:. mai 'näjm_is ...

🔊 Haben Sie ein *Einzelzimmer / Doppelzimmer* frei ...

Do you have a *single room / double room* ... du_ju häv_ə *'ßingl ru:m / dabl ru:m* ...

– für eine Nacht?
– for one night? fə ... 'wan 'nait?

– für ... Nächte?
– for ... nights? fə ... 'naitß?

– mit Bad?
– with a bathroom? wið_ə 'ba:θru:m?

– mit Balkon?
– with a balcony? wið_ə 'bälkəni?

– mit Klimaanlage?
– with air conditioning? wið 'eə kən'dischning?

– mit Ventilator?
– with a fan? wið_ə 'fän?

– mit Blick aufs Meer?
– overlooking the sea? ouvə'luking ðə 'ßi:?

– nach hinten hinaus?
– facing the back? 'fäjßing ðə 'bäk?

info In britischen Hotels und Pensionen fallen die Doppelbetten eher klein aus. Es ist also ratsam, gleich bei der Reservierung anzugeben, ob Sie twin beds (*zwei Einzelbetten*) oder a double bed (*ein Doppelbett*) bevorzugen.

I'm afraid we're fully booked.

Wir sind leider ausgebucht.

There's a vacancy *from tomorrow / from ...*

Morgen / Am ... wird ein Zimmer frei.

Wie viel kostet es … How much is it … hau 'matsch_is_it …

– mit Frühstück? – with breakfast? wið 'brekfəßt?
– mit Halbpension? – with half board? wið ha:f 'bo:d?
– mit Vollpension? – with full board? wið ful 'bo:d?

Gibt es eine Ermäßigung, wenn man … Nächte bleibt? Do you do a reduced rate if I stay … nights? du_ju du_ə ri'dju:ßt 'räjt if ai ßtäj … 'naitß?

 Kann ich mir das Zimmer ansehen? Can I see the room? kən_ai 'ßi: ðə 'ru:m?

 Könnten Sie ein zusätzliches Bett aufstellen? Could you put in an extra bed? kud_ju 'put_in_ən_'ekßtrə 'bed?

 Haben Sie noch ein anderes Zimmer? Do you have another room? du_ju häv_ən'aðə 'ru:m?

 Es ist sehr schön. Ich nehme es. It's very nice. I'll take it. itß 'veri 'naiß. ail 'täjk_it.

Könnten Sie mir das Gepäck aufs Zimmer bringen? Could you take my luggage up to the room? kud_ju 'täjk mai 'lagidsch 'ap tə_ðə 'ru:m?

Wo ist das Bad? Where's the bathroom? 'weəs_ðə 'ba:θru:m?

 Wo kann ich meinen Wagen abstellen? Where can I park my car? 'weə kən_ai 'pa:k mai 'ka:?

Von wann bis wann gibt es Frühstück? From when till when do you serve breakfast? frəm 'wen til 'wen du_ju ßö:v 'brekfəßt?

Wo ist der Speisesaal? Where's the dining room? 'weəs_ðə 'daining ru:m?

Haben Sie ein Hotelkärtchen für mich? Do you have a hotel card for me? du_ju həv ə hou'tel ka:d fə mi:?

Service

Kann ich Ihnen meine Wertsachen zur Aufbewahrung geben?

Can I leave my valuables with you for safekeeping? kən_ai 'li:v mai 'väljuəbls wið ju: fə 'ßäjf'ki:ping?

Ich möchte meine Wertsachen abholen.

I'd like to collect my valuables. aid 'laik tə kə'lekt mai 'väljuəbls.

Bitte den Schlüssel für Zimmer …

The key to room …, please. ðə 'ki: tə 'ru:m …, pli:s.

Kann ich von meinem Zimmer (nach Deutschland) telefonieren?

Can I call (Germany) from my room? kən_ai 'ko:l ('dschö:məni) frəm mai 'ru:m?

Ist eine Nachricht für mich da?

Are there any messages for me? a: ðər_eni 'meßidschis fə 'mi:?

Könnte ich bitte … haben?

Could I have …, please? kud_ai häv …, pli:s?

– noch eine Decke

– an extra blanket
  ən_'ekßtrə 'blänkit

– noch ein Handtuch

– an extra towel ən_'ekßtrə 'tauəl

– noch ein paar Kleiderbügel

– a few more clothes hangers
  ə 'fju: mo: 'klouðs 'hängəs

– noch ein Kopfkissen

– an extra pillow ən_'ekßtrə 'pilou

Meine Tür lässt sich nicht abschließen.	I can't lock my door. ai 'ka:nt 'lok mai 'do:.
Das Fenster geht nicht *auf/zu*.	The window won't *open/close*. ðə 'windou wount⁀ 'oupən/'klous.

🔊 ... funktioniert nicht.   ... doesn't work. ... dasnt 'wö:k.

- Die Dusche – The shower ðə 'schauə
- Der Fernseher – The TV ðə ti:'vi:
- Die Heizung – The heating ðə 'hi:ting
- Der Internetanschluss – The internet connection ði⁀ 'intənet kə'nekschn
- Die Klimaanlage – The air conditioning ði⁀ 'eə kən'dischning
- Das Licht – The light ðə 'lait

Die Wasserspülung funktioniert nicht (richtig).	The toilet won't flush (properly). ðə 'tojlət wount 'flasch ('propəli).

🔊 Es kommt kein (warmes) Wasser.   There's no (hot) water. ðes 'nou (hot) 'wo:tə.

Der Wasserhahn tropft.	The tap's dripping. ðə 'täpß 'driping.
Der Abfluss/Die Toilette ist verstopft.	The *drain/toilet* is blocked. ðə 'dräjn/'tojlət is 'blokt.
... ist schmutzig.	... is dirty. ... is 'dö:ti.

info Wundern Sie sich nicht über die etwas altmodischen Badezimmer, die noch heute teilweise in Großbritannien anzutreffen sind: Getrennte Hähne für kaltes und warmes Wasser sind keine Seltenheit, auch ist der Wasserdruck generell niedriger als auf dem europäischen Festland, so dass das Duschen etwas länger dauern kann.

Abreise

Wecken Sie mich bitte
(morgen früh)
um ... Uhr.

Could you wake me at ...
(tomorrow morning), please?
kud_ju 'wäjk mi_ət ...
(tə'morou 'mo:ning), pli:s?

🔊 Wir reisen morgen ab.

We're leaving tomorrow.
wiə 'li:ving tə'morou.

🔊 Machen Sie bitte die
Rechnung fertig.

Please may I have my bill?
'pli:s 'mäj_ai häv mai 'bil?

Es war sehr schön hier.

It was very nice here.
it wəs 'veri 'naiß hiə.

🔊 Kann ich mein Gepäck
noch bis ... Uhr hier-
lassen?

Can I leave my luggage here
until ...? kən_ai 'li:v mai 'lagidsch
hiər_an'til ...?

Rufen Sie bitte ein Taxi.

Could you please call me a taxi?
kud_ju pli:s 'ko:l mi_ə 'täkßi?

Ferienwohnung

Wir haben die Wohnung … gemietet.	We've rented flat … wi:v 'rentid flät …
Could I have your voucher, please?	Dürfte ich bitte Ihren Gutschein haben?
🌐 Wo bekommen wir die Schlüssel?	Where do we get the keys? 'weə du_wi 'get ðə 'ki:s?
Wie ist hier die Netzspannung?	What's the voltage here? 'wotß ðə 'voultidsch hiə?
Wo ist der Sicherungskasten?	Where's the fusebox? 'weəs_ðə 'fju:sbokß?

info Die Netzspannung in Großbritannien beträgt im Allgemeinen 240 Volt Wechselstrom, ist also mit kontinentalen Elektrogeräten kompatibel. Für mitgebrachte Geräte braucht man einen Adapter für die hier üblichen Dreipunktsteckdosen.

Könnten wir bitte noch (zusätzliche) *Bettwäsche / Geschirrtücher* bekommen?	Could we please have some (extra) *bed linen / tea towels*? kud_wl pli:s hav ßəm ('ekßtrə) 'bed linən / 'ti: tauəls?
🌐 Könnten Sie uns bitte erklären, wie … funktioniert?	Could you show us how … works? kud_ju 'schou_əß hau … 'wö:kß?
– die Spülmaschine	– the dishwasher ðə 'dischwoschə
– der Herd	– the cooker ðə 'kukə
– die Waschmaschine	– the washing machine ðə 'wosching mə'schi:n
– der Wäschetrockner	– the tumble drier ðə tambl 'draiə

Wohin kommt der Müll?

Where does the rubbish go?
'weə dəs ðə 'rabisch gou?

Wo ist ...

Where's ... 'weəs ...

– die nächste Bushalte-stelle?

– the nearest bus stop?
ðə 'niərəßt 'baß_ßtop?

– ein Lebensmittel-geschäft?

– a supermarket?
ə 'ßu:pəma:kit?

– eine Bäckerei?

– a bakery? ə 'bäjkəri?

Wo können wir das Auto abstellen?

Where can we park the car?
'weə kən wi 'pa:k ðə 'ka:?

Camping

Dürfen wir auf Ihrem Grundstück zelten?

Do you mind if we camp on your land? du_ju 'maind if wi 'kämp on jo 'länd?

Haben Sie noch Platz für ...?

Is there room for ...?
is ðər_'ru:m fə ...?

Wie hoch ist die Gebühr für ...

What's the charge for ...
'wotß ðə 'tscha:dsch fə ...

– ... Erwachsene und ... Kinder?

– ... adults and ... children?
... 'ädaltß_ən ... 'tschildrən?

– einen Pkw mit Wohnwagen?

– a car with caravan?
ə 'ka: wið 'kärəvän?

– ein Wohnmobil?

– a camper van? ə 'kämpə vän?

– ein Zelt?

– a tent? ə 'tent?

Vermieten Sie auch *Bungalows / Wohn-wagen*?

Do you also rent out *bungalows / caravans*? du_ju_'o:lßou rent_aut *'bangəlous / 'kärəväns*?

29

🔊 Wir möchten *einen Tag* / ... *Tage* bleiben.

We'd like to stay for *one day* / ... *days*. wi:d laik tə 'ßtäj fə 'wan 'däj / ... 'däjs.

🔊 Wo können wir *unser Zelt* / *unseren Wohnwagen* aufstellen?

Where can we *put up our tent* / *park our caravan*? 'weə kən wi 'put_ap auə 'tent / 'pa:k auə 'kärəvän?

🔊 Wo sind die *Waschräume* / *Toiletten*?

Where are the *washrooms* / *toilets*? 'weər_ə ðə 'woschru:ms / 'tojlətß?

Wo kann ich das Chemieklo entsorgen?

Where can I empty the chemical toilet? 'weə kən_ai 'empti ðə 'kemikl 'tojlət?

🔊 Gibt es hier Stromanschluss?

Is there an electric hookup? is ðər_ən_i'lektrik 'hukap?

Kann ich hier Gasflaschen *kaufen* / *umtauschen*?

Can I *buy bottled gas* / *exchange gas canisters* here? kən_ai 'bai botld 'gäß / _ikß'tschäjndsch 'gäß känißtəs hiə?

▶ Für weitere Fragen siehe *Ferienwohnung*, Seite 28

Übernachten: weitere Wörter

Abfluss *(im Bad)*	drain dräjn
Abfluss *(in der Küche)*	sink ßink
abreisen	to leave li:v
Adapter	adapter ə'däptə
Anmeldung	check-in 'tschekin
Anzahlung	deposit di'posit
Appartement	apartment ə'pa:tmənt
Aschenbecher	ashtray 'äschträj
Aufenthaltsraum	lounge laundsch
Aufzug	lift lift
Badewanne	bath ba:θ
Beanstandung	complaint kəm'pläjnt
Besen	broom bru:m
Bett	bed bed
Bettdecke	bedspread 'bedßpred
Bettlaken	sheet schi:t
Bettwäsche	bed linen 'bed linən
bügeln	to iron 'aiən
Bungalow	bungalow 'bangəlou
Camping	camping 'kämping
Campingplatz	campsite 'kämpßait
Decke	blanket 'blänkit
Doppelbett	double bed 'dabl bed
Dusche	shower 'schauə
Einzelbett	single bed 'ßingl bed
Empfang	reception ri'ßepschn
Etage	floor flo:
Etagenbetten	bunk beds 'bank beds
Fenster	window 'windou
Ferienhaus	holiday home 'holədäj houm
Ferienwohnung	holiday apartment 'holədäj ə'pa:tmənt
Fernseher	TV ti:'vi:

Fernsehraum	TV room tiː'viː ruːm
Foyer	foyer 'fojäj
Frühstücksbüfett	breakfast buffet 'brekfəßt 'bufäj
Frühstücksraum	breakfast room 'brekfəßt ruːm
Gaskartusche	gas canister 'gäß känißtə
Gaskocher	gas cooker 'gäß kukə
Geschirr	crockery 'krokəri
Glas	glass glaːß
Glühbirne	bulb balb
Hammer	hammer 'hämə
Handtuch	towel 'tauəl
Hauptsaison	peak season 'piːk ßiːsn
Hausverwaltung	property management 'propəti mänidschmənt
Heizung	heating 'hiːting
Herbergsmutter	hostel warden 'hoßtl woːdn
Herbergsvater	hostel warden 'hoßtl woːdn
Herd	cooker 'kukə
Hering	tent peg 'tent peg
Hotel	hotel hou'tel
Hotelkärtchen	hotel card hou'tel kaːd
Isomatte	foam mattress 'foum mätrəß
Jugendherberge	youth hostel 'juːθ hoßtl
Jugendherbergsausweis	youth hostel ID 'juːθ hoßtl_ai'diː
Kaffeemaschine	coffee-maker 'kofimäjkə
Kamin	fireplace 'faiəpläjß
Kaminholz	firewood 'faiəwud
kaputt	broken 'broukən
Kaution	deposit di'posit
Kinderbett	cot kot
Kleiderbügel	hanger 'hängə
Kocher	stove ßtouv
Kopfkissen	pillow 'pilou
Kühlschrank	fridge fridsch
Lampe	lamp lämp

32

Leihgebühr	hire charge 'haiə tscha:dsch
Licht	light lait
Luftmatratze	airbed 'eəbed
Matratze	mattress 'mätrəß
Miete	rent rent
mieten	to rent rent
Minibar	minibar 'miniba:
Moskitonetz	mosquito net mə'ßki:tou net
Moskitospirale	mosquito coil mə'ßki:tou kojl
Mülleimer	bin bin
Nachsaison	off-peak season 'ofpi:k ßi:sn
Notausgang	emergency exit i'mö:dschənßi 'ekßit
Putzmittel	cleaning materials 'kli:ning mə'tiəriəls
Rechnung	bill bil
reservieren	to book buk
reserviert	reserved ri'sö:vd
Rezeption	reception ri'ßepschn
Safe	safe ßäjf
Schlafsaal	dormitory 'do:mətri
Schlafsack	sleeping bag 'ßli:ping bäg
Schlüssel	key ki:
Schrank	wardrobe 'wo:droub
Sessel	armchair 'a:mtscheə
Sicherung	fuse fju:s
Spannung, elektrische	voltage 'voultidsch
Spiegel	mirror 'mirə
Steckdose	socket 'ßokit
Stecker	plug plag
Stuhl	chair tscheə
Swimmingpool	swimming pool 'ßwiming pu:l
Telefon	phone foun
Terrasse	terrace 'terəß
Tisch	table 'täjbl
Toilette	toilet 'tojlət

Toilettenpapier	toilet paper 'tojlət päjpə
Trinkwasser	drinking water 'drinking wo:tə
Ventilator	fan fän
Verlängerungskabel	extension cable ik'ßtenschn käjbl
Verlängerungswoche	extra week 'ekßtrə 'wi:k
Voranmeldung	advance booking əd'va:nß 'buking
Vorsaison	start of the season 'ßta:t_əv ðə 'ßi:sn
Waschbecken	basin 'bäjßən
waschen *(Wäsche)*	to do the washing du: ðə 'wosching
Wäschetrockner	tumble drier tambl 'draiə
Waschmaschine	washing machine 'wosching mə'schi:n
Waschmittel	washing powder 'wosching paudə
Waschraum	washroom 'woschru:m
Wasser	water 'wo:tə
Wasserhahn	tap täp
Wohnmobil	camper van 'kämpə vän
Wohnwagen	caravan 'kärəvän
Zelt	to camp kämp
zelten	tent tent
Zimmer	room ru:m

Unterwegs

Ich hätte gern einen Fensterplatz.
I'd like a window seat.

Kann ich das als Handgepäck mitnehmen?
Can I take that as hand luggage?

Fragen nach dem Weg

 Entschuldigung, wo ist ...?

Excuse me, where's ...?
ik'ßkju:s mi, 'weəs ...?

Wie komme ich *nach/ zu* ...?

How do I get to ...?
'hau du_ai 'get tə ...?

Können Sie mir das bitte auf der Karte zeigen?

Could you please show me on the map? kud_ju pli:s 'schou mi on ðə 'mäp?

Wie weit ist es?

How far is it? hau 'fa:r_is_it

Wie viele Minuten *zu Fuß/ mit dem Auto?*

How many minutes *on foot/ by car?* 'hau meni 'minitß *on 'fut/ bai 'ka:?*

Ist das die Straße nach ...?

Is this the road to ...?
is 'ðiß ðə 'roud tə ...?

Wie komme ich zur Autobahn nach ...?

How do I get onto the motorway to ...? 'hau du_ai get 'ontə_ðə 'moutəwäj tə ...?

I'm afraid I don't know.

Tut mir leid, das weiß ich nicht.

The first road on your *left/ right.*

Die erste Straße *links/ rechts.*

The second road on your *left/ right.*

Die zweite Straße *links/ rechts.*

At the next *traffic lights/ crossroads* ...

An der nächsten *Ampel/ Kreuzung* ...

▶ für die Antwort: *Orts- und Richtungsangaben,* Seite 37

Cross the *square/ road.*

Überqueren Sie *den Platz/ die Straße.*

36

| Then ask again. | Dann fragen Sie noch einmal. |
| You can take the bus / underground. | Sie können *den Bus / die U-Bahn* nehmen. |

Orts- und Richtungsangaben

after	hinter
back	zurück
before	vor
behind	hinter
bend	Kurve
beside	neben
crossroads	Kreuzung
down the steps	die Treppe herunter
here	hier
in front of	vor
left	links
nearby	nahe bei
next to	neben
not far	nicht weit
opposite	gegenüber
over there	dort hinten
quite a long way	ziemlich weit
right	rechts
road	Straße *(verkehrsreich)*
straight ahead	geradeaus
street	Straße *(bewohnt, belebt)*
there	dort
this way	hier entlang
to the left	nach links
to the right	nach rechts
traffic lights	Ampel
up the steps	die Treppe herauf

Gepäck

Ich möchte mein Gepäck hierlassen.	I'd like to leave my luggage here. aid 'laik tə 'li:v mai 'lagidsch hiə.
Ich möchte mein Gepäck abholen.	I'd like to pick up my luggage. aid 'laik tə 'pik_ap mai 'lagidsch.
🌐 Mein Gepäck ist (noch) nicht angekommen.	My luggage hasn't arrived (yet). mai 'lagidsch həsnt_ə'raivd (jet).
Wo ist mein Gepäck?	Where's my luggage? 'weəs_mai 'lagidsch?
🌐 Mein Koffer ist beschädigt worden.	My suitcase has been damaged. mai 'ßu:tkäjß həs bin 'dämidschd.
🌐 An wen kann ich mich wenden?	Who should I speak to? 'hu: schud_ai 'ßpi:k tu?

Gepäck: weitere Wörter

aufgeben *(Flugzeug)*	to check in tschek_'in
aufgeben *(Gepäckaufbewahrung)*	to hand in händ_'in
Gepäckannahme	luggage counter 'lagidsch kauntə
Gepäckaufbewahrung	left-luggage left'lagidsch
Gepäckausgabe	baggage claim 'bägidsch kläjm
Gepäckschein	luggage ticket 'lagidsch tikit
Handgepäck	hand luggage 'händ lagidsch
Koffer	suitcase 'ßu:tkäjß
Reisetasche	travel bag 'trävl bäg
Rucksack	rucksack 'rakßäk
Schließfach	locker 'lokə
Seesack	kitbag 'kitbäg
Tasche	bag bäg
Übergepäck	excess baggage 'ekßeß bägidsch

Flugzeug

Wo ist der Schalter der
Fluggesellschaft ...?

Where's the ... desk?
'weəs_ðə ... deßk?

Wann fliegt die nächste
Maschine nach ...?

When's the next flight to ...?
'wens ðə 'nekßt flait_tə ...?

Sind noch Plätze frei?

Are there any seats left?
a: ðər_eni 'ßi:tß 'left?

Wie viel kostet ein Flug
nach ...?

How much is a flight to ...?
hau 'matsch_is_ə 'flait tə ...?

Bitte ein Flugticket ...

... ticket, please. ... 'tikit, pli:s.

– einfach.
– hin und zurück.
– Businessclass.
– erster Klasse.

– A one way ə 'wan wäj
– A return ə ri'tö:n
– A business class ə 'bisnəß kla:ß
– A first class ə 'fö:ßt kla:ß

Ich hätte gern einen
*Fensterplatz / Platz am
Gang.*

I'd like *a window seat / an aisle
seat.* aid 'laik_ə 'windou ßi:t / ən
'ail ßi:t.

Kann ich das als Hand-gepäck mitnehmen?	Can I take this as hand luggage? kən_ai täjk 'ðiß_əs 'händ lagi<u>dsch</u>?
Ich möchte meinen Flug ...	I'd like to ... my flight. aid 'laik tə ... mai 'flait.
– rückbestätigen lassen.	– confirm kən'fö:m
– stornieren.	– cancel 'känßl
– umbuchen.	– change tschäjn<u>dsch</u>

Flugzeug: weitere Wörter

Abflug	take-off 'täjkof
Ankunft	landing 'länding
Anschlussflug	connecting flight kə'nekting flait
Ausgang	exit 'ekßit
Bordkarte	boarding pass 'bo:ding pa:ß
Flug	flight flait
Flughafen	airport 'eəpo:t
Flughafenbus	airport shuttle bus 'eəpo:t 'schatl baß
Flughafengebühr	airport tax 'eəpo:t täkß
Flugzeit	flying time 'flaiing tuim
Flugzeug	plane pläjn
Landung	landing 'länding
Ortszeit	local time 'loukl taim
Pilot	pilot 'pailət
Rückflug	return flight ri'tö:n flait
Schalter	check-in desk 'tschekin deßk
Spucktüte	sickbag 'ßikbäg
Steward(ess)	flight attendant 'flait ə'tendənt
Ticket	ticket 'tikit
Verspätung	delay di'läj
Zwischenlandung	stopover 'ßtopouvə

Zug

Auskunft und Fahrkarten

Wo finde ich die Gepäckaufbewahrung / Schließfächer?

Where can I find the *left-luggage / lockers*? 'weə kən_ai 'faind ðə left'lagidsch / 'lokəs?

info Wenn Sie Ihr Gepäck auf dem Bahnhof in Großbritannien deponieren möchten, wenden Sie sich am besten an die Gepäckaufbewahrung. Schließfächer sind nur selten vorhanden.

Wann fahren Züge nach ...?

What time do trains leave for ...? wot_'taim du 'träjns 'li:v_fə ...?

Wann fährt der nächste Zug nach ...?

When's the next train to ...? 'wens ðə 'nekßt träjn tə ...?

Wann ist er in ...?

When does it get to ...? 'wen dəs_it 'get_tə ...?

Muss ich umsteigen?

Do I have to change trains? du_ai häv_tə 'tschäjndsch 'träjns?

Von welchem Gleis fährt der Zug nach ... ab?

Which platform does the train to ... leave from? witsch 'plätfo:m dəs_ðə 'träjn tə ... 'li:v from?

Was kostet die Fahrkarte nach ...?

How much is a ticket to ...? hau 'matsch_is_ə 'tikit tə ...?

Gibt es eine Ermäßigung für ...?

Are there concessions for ...? a: ðeə kən'ßeschns fə ...?

Eine Karte nach ... bitte.

A ... ticket to ..., please. ə ... 'tikit tə ..., pli:s.

Bitte zwei Karten …	Two … tickets, please. 'tu: … 'tikitß, pli:s.
– einfach.	– single 'ßingl
– hin und zurück.	– return ri'tö:n
– erster Klasse.	– first class fö:ßt 'kla:ß
– zweiter Klasse.	– second class ßekənd 'kla:ß
Bitte eine Platzkarte für den Zug nach … um … Uhr.	I'd like to reserve a seat on the train to … at … o'clock. aid 'laik tə ri'sö:v_ə 'ßi:t on ðə 'träjn tə … ət … ə'klok.
Ich hätte gerne …	I'd like … aid 'laik …
– einen Fensterplatz.	– a window seat. ə 'windou ßi:t.
– einen Platz am Gang.	– an aisle seat. ən_'ail ßi:t.
– einen Platz für Nichtraucher.	– a non-smoking seat. ə 'nonßmouking 'ßi:t.
– einen Platz für Raucher.	– a smoking seat. ə 'ßmouking 'ßi:t.
Gibt es im Zug etwas zu essen und zu trinken?	Will there be refreshments on the train? 'wil ðeə_bi ri'freschməntß on ðə 'träjn?

Auf dem Bahnhof

Exit	Ausgang
Left-luggage	Gepäckaufbewahrung
Lockers	Schließfächer
Not drinking water	Kein Trinkwasser
Platform	Gleis
Showers	Duschen
To the platforms	Zu den Bahnsteigen
Toilets	Toiletten
Waiting room	Wartesaal

Im Zug

Ist dies der Zug nach …?	Is this the train to …? is 'ðiß ðə 'träjn tə …?
Ist dieser Platz schon besetzt?	Is this seat taken? is 'ðiß_ßi:t 'täjkən?

 info Engländer fragen meist nicht, ob ein Platz noch frei ist, sondern ob er besetzt ist. Wenn er frei ist, antwortet man also mit No, wenn er besetzt ist, mit Yes.

Entschuldigen Sie, das ist mein Platz.	Excuse me, that's my seat. ik'ßkju:s mi, ðätß 'mai ßi:t.
Darf ich das Fenster öffnen / schließen?	Do you mind if I open / close the window? du_ju 'maind if_ai 'oupən / 'klous ðə 'windou?
Wie viele Stationen sind es noch bis …?	How many more stops to …? 'hau meni mo: 'ßtopß tə …?
Wie lange haben wir Aufenthalt?	How long does the train stop here? 'hau 'long dəs ðə träjn 'ßtop hiə?
Erreiche ich den Zug nach … noch?	Will I catch my connection to …? 'wil_ai 'kätsch mai kə'nekschn tə …?

Zug: weitere Wörter

Abfahrt	departure di'pa:tschə
Abteil	compartment kəm'pa:tmənt
ankommen	to arrive ə'raiv
Ankunft	arrival ə'raivl
Anschluss	connection kə'nekschn
Ausgang	exit 'ekßit
aussteigen	to get off get_'of

43

German	English	Pronunciation
Bahnhof	station	'ßtäjschn
Bahnsteig	platform	'plätfo:m
einsteigen	to get on	get 'on
Ermäßigung	concession	kən'ßeschn
Fahrplan	timetable	'taimtäjbl
Fahrpreis	fare	feə
Gepäckwagen	luggage van	'lagidsch vän
Gleis	platform	'plätfo:m
Klasse	class	kla:ß
Liegewagen	couchette car	ku:'schet ka:
Nichtraucherabteil	non-smoking compartment	'nonßmouking kəm'pa:tmənt
Platz	seat	ßi:t
Raucherabteil	smoking compartment	'ßmouking kəm'pa:tmənt
reserviert	reserved	ri'sö:vd
Schaffner	guard	ga:d
Schlafwagen	sleeping car	'ßli:ping ka:
Speisewagen	dining car	'daining ka:
umsteigen	to change trains	tschäjndsch 'träjns
Waggon	car	ka:
Zug	train	träjn
Zuschlag	extra charge	'ekßtrə 'tschadsch

Überlandbus

info In Großbritannien gibt es Verbindungen mit dem Überlandbus (coach) zwischen London und den meisten Städten sowie zwischen manchen größeren Städten untereinander. Die Busfahrt ist meistens wesentlich günstiger als die mit dem Zug, dauert aber natürlich länger. Es ist eine gute Idee, das Ticket im Voraus zu kaufen oder zu reservieren, besonders am Wochenende.

Von wo fahren die Überlandbusse nach … ab?	Where do the coaches to … leave from? 'weə du_ðə 'koutschis tə … 'li:v frəm?
🚌 Wie komme ich zum Busbahnhof?	How do I get to the coach station? 'hau du_ai 'get tə_ðə 'koutsch ßtäjschn?
🚌 Wann fährt der nächste Bus nach … ab?	When does the next bus to … leave? 'wen dəs ðə 'nekßt 'baß tə … 'li:v?
Bitte *eine Karte/zwei Karten* nach …	*A ticket/Two tickets* to …, please. ə 'tikit / 'tu: 'tikitß tə …, pli:s.
Ist … die Endhalte-stelle?	Is … the last stop? is … ðə 'la:ßt 'ßtop?
Sagen Sie mir bitte, wo ich aussteigen muss?	Could you tell me where I have to get off, please? kud_ju 'tel mi weər_ai häv_tə get_'of, pli:s?
🚌 Wie lange dauert die Fahrt?	How long does the journey last? 'hau 'long dəs ðə 'dschö:ni 'la:ßt?
🚌 Wie lange haben wir Aufenthalt?	How long do we stop here? 'hau 'long du_wi 'ßtop hiə?

Schiff

Auskunft und Buchung

Wann fährt *das nächste Schiff / die nächste Fähre* nach … ab?
When does the next *boat / ferry* leave for …? ˈwen dəs ðə ˈnekßt ˈbout / ˈferi liːv fə …?

Wie lange dauert die Überfahrt nach …?
How long is the crossing to …? ˈhau ˈloŋ is ðə ˈkroßiŋ tə …?

Wann legen wir in … an?
When do we dock in at …? ˈwen du wi dok ˈin ət …?

Wann müssen wir an Bord sein?
When do we have to be on board? ˈwen du wi häv tə bi on ˈboːd?

Ich möchte eine Schiffskarte *erster Klasse / Touristenklasse* nach …
I'd like a *first / an economy* class boat ticket to … aid ˈlaik ə ˈföːßt / ən iˈkonəmi klaːs ˈbout tikit tə …

Ich möchte …
I'd like … aid ˈlaik …

– eine Einzelkabine.
– a single cabin. ə ˈßiŋgl ˈkäbin.

– eine Zweibettkabine.
– a twin cabin. ə ˈtwin ˈkäbin.

– eine Außenkabine.
– an outside cabin. ən ˈautßaid ˈkäbin.

– eine Innenkabine.
– an inside cabin. ən ˈinßaid ˈkäbin.

Ich möchte eine Karte für die Rundfahrt um … Uhr.
I'd like a ticket for the sightseeing cruise at … aid ˈlaik ə ˈtikit fə ðə ˈßaitßiːing kruːs ət …

An welcher Anlegestelle liegt die …?
Where is the … moored? ˈweər is ðə … muəd?

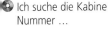

An Bord

🔊 Ich suche die Kabine Nummer …

I'm looking for cabin number …
aim 'luking fə 'käbin_'nambə …

🔊 Kann ich eine andere Kabine bekommen?

Could I have another cabin?
kud_ai häv_ə'naðə 'käbin?

Haben Sie ein Mittel gegen Seekrankheit?

Do you have anything for seasickness? du_ju häv_'eniθing fə 'ßi:ßiknəß?

Schiff: weitere Wörter

Anlegestelle	mooring 'muəring
Autofähre	car ferry 'ka: feri
Decke	blanket 'blänkit
Kapitän	captain 'käptin
Klimaanlage	air conditioning 'eə kən'dischning
Kreuzfahrt	cruise kru:s
Küste	coast koußt
Landausflug	land excursion 'länd ik'ßkö:schn
Liegestuhl	deckchair 'dektscheə
Rettungsboot	lifeboat 'laifbout
Rettungsring	lifebelt 'laifbelt
Rundfahrt	sightseeing tour 'ßaitßi:ing tuə
Schiff	ship schip
Schiffsagentur	shipping agency 'schiping äjdschənßi
Schiffsarzt	ship's doctor schipß 'doktə
Schwimmweste	life jacket 'laif dschäkit
Seegang	rough seas pl raf 'ßi:s
seekrank	seasick 'ßi:ßik
Sonnendeck	sun deck 'ßan dek
Steward	steward 'ßtju:əd
Tragflächenboot	hydrofoil 'haidrəfojl
Überfahrt	crossing 'kroßing

Auto, Motorrad

Vermietung

🌐 Ich möchte … mieten.　　I'd like to hire …
　　　　　　　　　　　　aid 'laik tə 'haiə …

  – ein Auto.　　　　　　– a car. ə 'ka:.
  – ein Auto mit　　　　　– an automatic car.
    Automatik　　　　　　ən_'o:təmätik 'ka:.
  – einen Geländewagen　– an off-roader. ən_'ofroudə.
  – ein Motorrad　　　　　– a motorbike. ə 'moutəbaik.
  – ein Wohnmobil　　　　– a camper van. ə 'kämpə vän.

🌐 Ich möchte es für …　　I'd like to hire it for …
　　mieten.　　　　　　　aid 'laik tə 'haiər_it fə …

  – morgen　　　　　　　– tomorrow. tə'morou.
  – einen Tag　　　　　　– one day. wan 'däj.
  – zwei Tage　　　　　　– two days. 'tu: 'däjs.
  – eine Woche　　　　　– a week. ə 'wi:k.

Wie viel kostet das?　　How much does that cost?
　　　　　　　　　　　　hau 'matsch dəs ðät 'koßt?

Wie viele Meilen sind　　How many miles are included in the
im Preis enthalten?　　　price? 'hau meni 'mails_ər_in'klu:did
　　　　　　　　　　　　in ðə 'praiß?

Was muss ich tanken?　　What fuel does it take?
　　　　　　　　　　　　wot 'fju:əl dəs_it 'täjk?

Ist eine Vollkasko-　　　Does it include fully comprehensive
versicherung einge-　　　insurance? dəs_it in'klu:d 'fuli
schlossen?　　　　　　　kompri'henßiv in'schuərənß?

Kann ich das Auto　　　Can I also hand the car back in …?
auch in … abgeben?　　　kən_ai_'o:lßou händ ðə 'ka:
　　　　　　　　　　　　'bäk_in …?

48

Bis wann muss ich zurück sein?

When do I have to be back by? 'wen du_ai häv_tə bi 'bäk bai?

Bitte geben Sie mir auch einen Sturzhelm.

Please could you give me a crash helmet as well? 'pli:s kud_ju 'giv mi_ə 'kräsch helmət əs 'wel?

info Straßenbezeichnungen, die mit A oder B anfangen, entsprechen etwa den Bundesstraßen. Viele der A roads sind Schnellstraßen mit zwei Fahrspuren in jeder Richtung. M steht für motorway (Autobahn).

An der Tankstelle

Wo ist die nächste Tankstelle?

Where's the nearest petrol station? 'weəs_ðə niərəßt 'petrəl ßtäjschn?

Wie weit ist es zur nächsten Tankstelle?

How far is it to the nearest petrol station? hau 'fa:r_is_it tə_ðə 'niərəßt 'petrəl ßtäjschn?

Bitte volltanken.

Full, please. 'ful, pli:s.

Bitte für ... £, ...

... pounds' worth of ..., please. ... 'paunds wö:θ_əv ..., pli:s.

– Benzin bleifrei.
– Super bleifrei.
– Super verbleit.
– Diesel.

– unleaded an'ledid
– super unleaded 'ßu:pər_an'ledid
– four-star 'fo:ßta:
– diesel 'di:sl

Ich möchte *1 Liter / 2 Liter* Öl.

I'd like *one litre / two litres* of oil. aid 'laik *'wan 'li:tər / 'tu: 'li:təs_əv_'ojl.*

49

Panne

 Ich habe kein Benzin mehr.

I've run out of petrol.
aiv 'ran_aut_əv 'petrəl.

Ich habe eine *Reifenpanne/Motorpanne*.

I've got a *flat tyre/engine trouble*.
aiv got_ə 'flät 'taiə/'endʒin 'trabl.

 Können Sie mir Starthilfe geben?

Could you give me a jump-start?
kud_ju 'giv mi_ə 'dʒamp-'ßta:t?

Könnten Sie ...

Could you ... kud_ju ...

– mich ein Stück mitnehmen?

– give me a lift?
'giv mi_ə 'lift?

– meinen Wagen abschleppen?

– tow my car away?
'tou mai 'ka:r_ə'wäj?

– mir einen Abschleppwagen schicken?

– send me a breakdown van?
'ßend mi_ə 'bräjkdaun vän?

Können Sie mir bitte ... leihen?

Could you lend me ..., please?
kud_ju 'lend mi ..., pli:s?

Werkzeug und Flickzeug

Draht	wire 'waiə
Kabel	lead li:d
Kreuzschlüssel	wheel brace 'wi:l bräjß
Schmirgelpapier	sandpaper 'ßändpäjpə
Schraube	screw ßkru:
Schraubenschlüssel	spanner 'ßpänə
Schraubenzieher	screwdriver 'ßkru:draivə
Steckschlüssel	wrench rentsch
Trichter	funnel 'fanl
Wagenheber	jack dschäk
Werkzeug	toolkit 'tu:lkit
Zange	pair of pliers peər_əv 'plaiəs

Unfall

Rufen Sie bitte schnell ...	Please call ..., quick! 'pli:s ko:l ..., 'kwik!
– einen Kranken- wagen!	– an ambulance ən_'ämbjulənß
– die Polizei!	– the police ðə pə'li:ß
– die Feuerwehr!	– the fire brigade ðə 'faiə bri'gäjd
Es ist ein Unfall passiert!	There's been an accident! ðes bin_ən 'äkßidənt!
... Personen sind (schwer) verletzt.	... people have been (seriously) hurt. ... 'pi:pl həv bin ('ßiəriəßli) 'hö:t.
Bitte helfen Sie mir.	Please help me. pli:s 'help mi:.
Ich brauche Verbandszeug.	I need a first-aid kit. ai 'ni:d_ə fö:ßt'äjd kit.
Es ist nicht meine Schuld.	It wasn't my fault. it wosnt 'mai fo:lt.
Ich möchte, dass wir die Polizei holen.	I'd like to call the police. aid 'laik tə 'ko:l ðə pə'li:ß.
Ich hatte Vorfahrt.	I had right of way. ai həd 'rait_əv 'wäj.
Sie sind zu dicht aufgefahren.	You were driving too close. ju_wə 'draiving tu: 'klouß.
Sie sind zu schnell gefahren.	You were driving too fast. ju_wə 'draiving tu: 'fa:ßt.

info 1 Kilometer entspricht 0,6214 Meilen. Als grobe Richtlinie kann man sich leicht merken: 50 Stundenmeilen sind 80 km/h.

Bitte geben Sie mir Ihren Namen und Ihre Adresse.

Could you give me your name and address, please? kud_ju 'giv mi_jo 'näjm_ən_ə'dreß, pli:s?

Bitte geben Sie mir Ihre Versicherung an.

Could you give me your insurance details, please? kud_ju 'giv mi_jor_in'schuərənß 'di:täjls, pli:s?

🌐 Können Sie eine Zeugenaussage machen?

Would you act as my witness? wud_ju_'äkt_əs mai 'witnəß?

In der Werkstatt

Wo ist die nächste Werkstatt?

Where's the nearest garage? 'weəs_ðə niərəßt 'gära:sch?

Mein Wagen steht (an der Straße nach) …

My car's (on the road to) … mai 'ka:s (on ðə 'roud_tə) …

Können Sie ihn abschleppen?

Can you tow it away? kən_ju 'tou_it_ə'wäj?

Können Sie mal nachsehen?

Could you have a look at it? kud_ju häv_ə 'luk_ət_it?

… funktioniert nicht.

… isn't working. … isnt 'wö:king.

▶ *Auto, Motorrad, weitere Wörter*, Seite 53

Mein Auto springt nicht an.

My car won't start. mai 'ka: wount 'ßta:t.

Die Batterie ist leer.

The battery's flat. ðə 'bätəris flät.

Der Motor zieht nicht.

The engine hasn't got any power. ði_'endschin hәsnt 'got_eni 'pauə.

Kann ich mit dem Auto noch fahren?

Can I still drive the car? kən_ai 'ßtil 'draiv ðə 'ka:?

🔵 Machen Sie bitte nur die nötigsten Reparaturen.

Just do the essential repairs, please. 'd̲s̲c̲h̲aßt du ði_i'ßenschl ri'peəs, pliːs.

Wie viel wird die Reparatur ungefähr kosten?

About how much will the repairs cost? ə'baut hau 'matsch wil ðə ri'peəs koßt?

🔵 Wann ist es fertig?

When will it be ready? 'wen wil_it bi 'redi?

Nehmen Sie Schecks vom ...-Schutzbrief?

Do you accept coupons from the ... accident and breakdown cover? du_ju ək'ßept 'kuːpons frəm ðə ... 'äkßidənt_ən 'bräjkdaun 'kavə?

Auto, Motorrad: weitere Wörter

▶ *Werkzeug und Flickzeug,* Seite 50

Abschleppseil	tow rope 'tou roup
Anlasser	starter 'ßtaːtə
Auffahrunfall	shunt accident 'schant 'äkßidənt
Auspuff	exhaust ig'soːßt
Autobahn	motorway 'moutəwäj
Blinklicht	flashing lights pl 'fläsching laitß
Bremse	brake bräjk
Bremsflüssigkeit	brake fluid 'bräjk fluːid
Bremslicht	brake light 'bräjk lait
Dichtung	gasket 'gäßkit
Ersatzreifen	spare tyre ßpeə 'taiə
Ersatzteil	spare ßpeə
Feuerlöscher	fire extinguisher 'faiər_ik'ßtingwischə
Frostschutzmittel	antifreeze 'äntifriːs
Führerschein	driving licence 'draiving laißnß
Gang	gear giə

Getriebe	transmission träns'mischn
Glühbirne	light bulb 'lait balb
Handbremse	hand brake 'händ bräjk
Heizung	heating 'hi:ting
Hupe	horn ho:n
kaputt	broken 'broukən
Katalysator	catalytic converter kätə'litik kən'vö:tə
Keilriemen	fanbelt 'fänbelt
Kfz-Schein	vehicle registration document 'vi:ikl redschi'ßträjschn dokjumənt
Kindersitz	child seat 'tschaild ßi:t
Klimaanlage	air conditioning 'eə kən'dischning
Kotflügel	wing wing
Kühler	radiator 'räjdiäjtə
Kühlwasser	coolant 'ku:lənt
Kupplung	clutch klatsch
Lack	paintwork 'päjntwö:k
Landstraße	country road kantri 'roud
Leerlauf	neutral 'nju:trəl
Lenkung	steering 'ßtiəring
Licht	light lait
Lichtmaschine	dynamo 'dainəmou
Luftfilter	air filter 'eə filtə
Motor	engine 'endschin
Motorhaube	bonnet 'bonit
Motoröl	engine oil 'endschin_ojl
Motorrad	motorbike 'moutəbaik
Ölwechsel	oil change 'ojl tschäjndsch
parken	to park pa:k
Parkhaus	multi-storey car park 'maltißto:ri 'ka: pa:k
Parkplatz	car park 'ka: pa:k
Parkscheibe	parking disc 'pa:king dißk
Parkuhr	parking meter 'pa:king mi:tə
Parkverbot	no-parking zone nou'pa:king soun

Rad	wheel wiːl
Raststätte	service area 'ßöːviß eəriə
Reifen	tyre 'taiə
Reparatur	repair ri'peə
Reservekanister	spare petrol can ßpeə 'petrəl kän
Reservereifen	spare tyre ßpeə 'taiə
Rücklicht	tail light 'täjl_lait
Rückspiegel	rearview mirror riəvjuː 'mirə
Scheibenwischer	windscreen wipers 'windßkriːn waipəs
Scheibenwischer-blätter	wiper blades 'waipə bläjds
Scheinwerfer	headlights 'hedlaitß
Schneeketten	snow chains 'ßnou tschäjns
Schutzbrief	accident and breakdown cover 'äkßidənt_ən 'bräjkdaun kavə
Sicherheitsgurt	seatbelt 'ßiːtbelt
Sicherung	fuse fjuːs
Spiegel	mirror 'mirə
Starthilfekabel	jump leads pl 'dschamp liːds
Stoßdämpfer	shock absorber 'schok_əb'soːbə
Stoßstange	bumper 'bampə
Tachometer	speedometer ßpi'domitə
Unfallprotokoll	accident report 'äkßidənt ri'poːt
Verbandskasten	first-aid kit föːßt'äjd kit
Vergaser	carburettor ka:bə'retə
Versicherungskarte, grüne	green card 'griːn kaːd
Warndreieck	warning triangle 'woːning traiängl
Werkstatt	garage 'gäraːsch
Wohnmobil	camper van 'kämpə vän
Zeuge	witness 'witnəß
Zündkabel	ignition cable ig'nischn käjbl
Zündkerze	spark plug 'ßpaːk plag
Zündung	ignition ig'nischn

Öffentlicher Nahverkehr

Wo ist die nächste ...

Where's the nearest ...
'weəs_ðə niərəßt ...

– U-Bahn-Station?

– underground station?
 'andəgraund 'ßtäjschn?

– Bushaltestelle?

– bus stop? 'baß_ßtop?

– Straßenbahnhalte-
  stelle?

– tram stop? 'träm ßtop?

Wo hält der Bus
nach ...?

Where does the bus to ... stop?
'weə dəs ðə 'baß tə ... 'ßtop?

*Welcher Bus / Welche
U-Bahn* fährt nach ...?

Which *bus / underground* goes
to ...? witsch *'baß / 'andəgraund*
gous tə ...?

The bus number ...

Der Bus Nummer ...

The ... line

Die Linie ...

Wann fährt *der nächste Bus / die nächste U-Bahn* nach ...?

When's the next *bus / underground* to ...? 'wens ðə 'nekßt 'baß / 'andəgraund tə ...?

Wann fährt der letzte Bus?

What time is the last bus? wot‿'taim is ðə 'la:ßt 'baß?

🔾 Fährt dieser Bus nach ...?

Does this bus go to ...? dəs 'ðiß 'baß gou tə ...?

Muss ich nach ... umsteigen?

Do I have to change for ...? du‿ai häv‿tə 'tschäjn<u>dsch</u> fə ...?

🔾 Sagen Sie mir bitte, wo ich *aussteigen / umsteigen* muss?

Could you tell me where I have to *get off / change*, please? kud‿ju 'tel mi weər‿ai häv‿tə get‿'of / 'tschäjn<u>dsch</u>, pli:s?

Wo bekomme ich einen Fahrschein?

Where do I get a ticket? 'weə du‿ai 'get‿ə 'tikit?

🔾 Bitte einen Fahrschein nach ...

A ticket to ..., please. ə 'tikit tə ..., pli:s.

🔾 Gibt es ...

Do you have ... du‿ju häv ...

– Tageskarten?

– one-day travelcards? 'wan däj 'trävəlka:ds?

– Mehrfahrtenkarten?

– multiple-ride tickets? maltipl'raid tikitß?

– Wochenkarten?

– weekly travelcards? 'wi:kli 'trävlka:ds?

– Fahrscheinheftchen?

– a carnet? ə 'ka:näj?

info One-day travelcards und weekly travelcards gelten sowohl für die Underground, die in London auch tube genannt wird, als auch für Bus und S-Bahn in den gekauften Zonen. Ein carnet in London gilt nur für die Underground in der Zone 1 Central London.

info Geben Sie an Bushalte-
stellen dem heranfahrenden Bus ein
Handzeichen, damit er anhält.
Busfahrkarten werden im Bus
(meistens beim Fahrer) gekauft.
U-Bahnkarten bekommt man in der
U-Bahn-Station am Schalter bzw. am
Automaten. Die U-Bahnkarte steckt
man an der Schranke in den dafür
vorgesehenen Schlitz. Danach öffnet
sich die Schranke automatisch.
Nach Beendigung der Fahrt werden
Einzel- und Rückfahrkarten von der
Schranke „verschluckt".

Taxi

Wo bekomme ich ein Taxi?	Where can I get a taxi? 'weə kən_ai 'get_ə 'täkßi?
Könnten Sie mir für (morgen um) ... Uhr ein Taxi bestellen?	Could you order a taxi for me (for tomorrow morning) for ... o'clock? kud_ju 'o:dər_ə 'täkßi fə mi (fə tə'morou 'mo:ning) fə ... ə'klok?
Bitte ...	Can you take me ..., please? kən_ju 'täjk mi ..., pli:s?
– zum Bahnhof!	– to the station tə_ðə 'ßtäjschn
– zum Flughafen!	– to the airport tə_ði_'eəpo:t
– zum Hotel ...!	– to the ... Hotel tə_ðə ... hou'tel
– in die Innenstadt!	– to the city centre tə_ðə ßiti 'ßentə
– in die ... Straße!	– to ... Street tə ... ßtri:t

Wie viel kostet es nach ...?	How much is it to ...? hau 'matsch_is_it tə ...?
Man hat mir (im Hotel) gesagt, dass es nur ... Pfund kostet.	I was told (at the hotel) that it should only cost ... pounds. ai wəs 'tould (ət_ðə hou'tel) ðət_it schəd 'ounli koßt ... 'paunds.
Bitte schalten Sie den Taxameter *ein / auf null*.	Could you *switch on / reset* the meter, please? kud_ju *'ßwitsch_on / ri:'ßet* ðə 'mi:tə, pli:s?
🔵 *Warten / Halten* Sie hier bitte (einen Augen-blick)!	Could you *wait / stop* here (for a moment), please? kud_ju *'wäjt / 'ßtop* hiə (fər_ə 'moument), pli:s?
🔵 Das Wechselgeld ist fur Sie!	Keep the change! 'ki:p ðə 'tschäjndsch!

info In Großbritannien ist es üblich, vor dem Einsteigen in das Taxi das Fahrtziel zu nennen, denn nicht jeder Taxifahrer ist bereit, längere Fahrten zu unternehmen, die aus seinem „Revier" hinausführen.

Bus, Bahn, Taxi: weitere Wörter

Abfahrt	departure di'pa:tschə
aussteigen	to get off get_'of
Busbahnhof	bus station 'baß_ßtäjschn
Bushaltestelle	bus stop 'baß_ßtop
Endstation	terminus 'tö:minəß
entwerten	to cancel 'känßl
Entwerter	ticket cancelling machine 'tikit 'känßəling mə'schi:n
Fahrer	driver 'draivə
Fahrkarte	ticket 'tikit

Fahrkartenautomat	ticket machine	'tikit mə'schi:n
Fahrplan	timetable	'taimtäjbl
Fahrpreis	fare	feə
halten	to stop	ßtop
Haltestelle	stop	ßtop
Kontrolleur	inspector	in'ßpektə
Richtung	direction	də'rekschn
S-Bahn	suburban train	ßə'bö:bən 'träjn
Schaffner	conductor	kən'daktə
Stadtzentrum	city centre	ßiti 'ßentə
Taxistand	taxi rank	'täkßi ränk
umsteigen	to change	tschäjndsch

Per Anhalter

 info Trampen ist in Großbritannien nicht sehr üblich. Leider gibt es aber auch keine Mitfahrzentralen.

Fahren Sie nach …?	Are you going to …? a:_ju 'gouing tə …?
Können Sie mich (ein Stück) mitnehmen?	Could you give me a lift (for part of the way)? kud_ju 'giv mi_ə 'lift (fə 'pa:t_əv ðə 'wäj)?
Where do you want to get out?	Wo wollen Sie aussteigen?
Bitte lassen Sie mich hier aussteigen.	Could you let me out here, please? kud_ju 'let mi_'aut hiə, pli:s?
Vielen Dank fürs Mitnehmen.	Thanks for the lift. 'θänkß fə_ðə 'lift.

Reisen mit Kindern

Gibt es hier einen Kinderspielplatz?
Is there a children's playground?

Wie alt ist Ihr Kind?
How old is your child?

Häufige Fragen

 Gibt es eine Ermäßigung für Kinder?

Is there a child discount?
is ðər_ə 'tschaild_'dißkaunt?

Bis / Ab wie viel Jahren?

How old do they have to be?
hau 'ould du ðäj 'häv_tə 'bi:?

Bitte Karten für zwei Erwachsene und zwei Kinder.

Tickets for two adults and two children, please. 'tikitß fə 'tu: _'ädaltß_ən 'tu: 'tschildrən, pli:s.

 Gibt es hier einen Kinderspielplatz?

Is there a children's playground here? is ðər_ə 'tschildrəns 'pläjgraund hiə?

Wie alt ist Ihr Kind?

How old is your child?
hau 'ould is jo 'tschaild?

Meine Tochter / Mein Sohn ist … Jahre alt.

My daughter / My son is ….
mai 'do:tə / mai 'ßan is …

Wo ist ein Wickelraum?

Where is there a changing room?
'weər_is ðər_ə 'tschäjndsching ru:m?

 Wo können wir … kaufen?

Where can we buy …
'wɔə kən wi 'bai …

– Babynahrung
– Kinderkleidung

– baby food? 'bäjbi fu:d?
– children's clothes? 'tschildrəns klouðs?

– Windeln

– nappies? 'näpi:s?

Haben Sie spezielle Angebote für Kinder?

Do you have special offers for children? du_ju häv 'ßpeschl 'ofəs fə 'tschildrən?

Haben Sie *ein kleines Mädchen / einen kleinen Jungen* gesehen?

Have you seen a little *girl / boy*? häv_ju 'ßi:n_ə 'litl *'gö:l / 'boj*?

In Verkehrsmitteln

Gibt es ein Kinderabteil?	Is there a children's compartment? is ðər_ə 'tschildrəns kəm'pa:tmənt?
Haben Sie für den Leihwagen auch einen Kinderautositz?	Do you have a child seat for the rental car? du_ju häv_ə 'tschaild ßi:t fə_ðə 'rentl ka:?
Kann ich einen Kinderfahrradsitz ausleihen?	Can I rent a child seat for a bicycle? kən_ai 'rent_ə 'tschaild ßi:t fər_ə 'baißikl?
Bis zu welchem Alter fahren Kinder umsonst?	Up to what age do children travel free? ap tə wot 'äjdsch du 'tschildrən trävl 'fri:?

Im Hotel

Könnten Sie ein Kinderbett aufstellen?	Could you put in a cot? kud_ju 'put_in_ə 'kot?
Gibt es eine Kinderbetreuung?	Is there a crèche? is ðər_ə 'kresch?
Haben Sie ein Unterhaltungsprogramm für Kinder?	Do you have an entertainment programme for children? du_ju häv_ən entə'täjnmənt 'prougräm fə 'tschildrən?

Im Restaurant

🔵 Haben Sie einen
Hochstuhl?

Do you have a high chair?
du_ju häv_ə 'hai tscheə?

🔵 Könnten Sie bitte das
Fläschchen aufwär-
men?

Could you please warm the bottle?
kud_ju pli:s 'wo:m ðə 'botl?

Haben Sie ein Kinder-
menü?

Do you have a children's menu?
du_ju häv_ə 'tschildrəns 'menju:?

🔵 Können wir für die
Kinder eine halbe
Portion bekommen?

Could we get half portions for the
children? kud_wi get 'ha:f 'po:schns
fə_ðə 'tschildrən?

Können wir bitte noch
*ein Extra-Gedeck / ei-
nen kleinen Löffel* be-
kommen?

Could we please have *an extra
knife and fork / a small spoon*?
kud_wi pli:s häv_ən_'ekßtrə 'naif_ən
'fo:k / ə 'ßmo:l 'ßpu:n?

Vergnügungen

🔵 Ist es für Kinder gefährlich?

Is it dangerous for children?
is_it 'däjndschərəß fə 'tschildrən?

Gibt es Schwimmunter-
richt für Kinder?

Are there swimming lessons for
children? a: ðeə 'ßwiming 'leßəns fə
'tschildrən?

Ich möchte Schwimm-
flügel ausleihen.

I'd like to hire water wings.
aid 'laik tə 'haiə 'wo:tə wings.

🔵 Gibt es auch ein
Kinderbecken?

Is there a children's pool as well?
is ðər_ə 'tschildrəns pu:l_əs 'wel?

Wie tief ist das Wasser?

How deep is the water?
hau 'di:p is ðə 'wo:tə?

Kinderbetreuung

▶ Können Sie uns einen verlässlichen Babysitter empfehlen?

Can you recommend a reliable babysitter? kən_ju rekə'mend_ə ri'laiəbl 'bäjbißitə?

Ab wie viel Jahren gibt es eine Kinderbetreuung?

What's the minimum age for the crèche? 'wotß ðə 'miniməm 'äjdsch fə_ðə 'kresch?

Gesundheit

▶ Können Sie mir *einen Kinderarzt / ein Kinderkrankenhaus* empfehlen?

Can you recommend a *paediatrician / children's hospital*? kən_ju rekə'mend_ə *pi:diə'trischn / 'tschildrəns 'hoßpitļ*

Mein Kind ist allergisch gegen Milchprodukte.

My child is allergic to milk products. mai 'tschaild_is_ə'lö:dschik tə 'milk prodaktß.

▶ *Gesundheit,* ab Seite 171

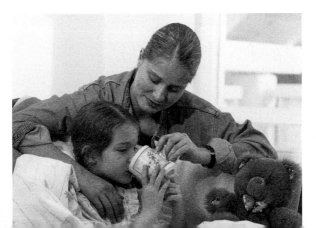

Kinder: weitere Wörter

Allergie	allergy 'älədschi
Ausschlag	rash räsch
Babyfläschchen	baby bottle 'bäjbi botl
Babyfon	baby phone 'bäjbi foun
Babypuder	baby powder 'bäjbi paudə
Bilderbuch	picture book 'piktschə buk
Buntstift	crayon 'kräjən
Fläschchenwärmer	bottle warmer 'botl wo:mə
Impfpass	vaccination card väkßi'näjschn ka:d
Insektenstich	insect bite 'inßekt bait
Junge	boy boj
Kinderbett	cot kot
Kindersicherheitsgurt	child safety belt tschaild 'ßäjfti belt
Kinderteller	children's portion 'tschildrəns po:schn
Kinderwagen	pram präm
Kinderzuschlag	children's supplement 'tschildrəns sapləmənt
Laufstall	playpen 'pläjpen
Mädchen	girl gö:l
Malbuch	colouring book 'kaləring buk
Mückenschutz	mosquito spray mə'ßki:tou ßpräj
Sauger	teat ti:t
Schirmmütze	peaked cap pi:kt 'käp
Schnuller	dummy 'dami
Sohn	son ßan
Spielplatz	playground 'pläjgraund
Spielzeug	toy toj
Tochter	daughter 'do:tə
Wickelkommode	changing unit 'tschäjndsching ju:nit

Behinderte

Gibt es einen Eingang für Rollstuhlfahrer?
Does it have wheelchair access?

Wo ist der nächste Fahrstuhl?
Where's the nearest lift?

Um Hilfe bitten

 Können Sie mir bitte
helfen?

Could you help me, please?
kud_ju 'help mi, pli:s?

Ich bin gehbehindert.

I have mobility problems.
ai häv mou'biləti 'problems.

Ich bin körperbehin-
dert.

I'm disabled. aim diß'äjbld.

Ich bin sehbehindert.

I'm visually impaired.
aim 'vischuəli im'peəd.

Ich bin *hörgeschädigt/
taub*.

I'm *hearing impaired/deaf*.
aim *'hiəring im'peəd/'def*.

 Ich höre schlecht.

I'm hard of hearing.
aim 'ha:d_əv 'hiəring.

 Können Sie bitte lauter
reden?

Could you speak up a bit?
kud_ju ßpi:k_'ap_ə bit?

Können Sie das bitte
aufschreiben?

Could you write that down
for me? kud_ju 'rait ðät 'daun
fə mi:?

Unterwegs

 Ist es für Rollstuhlfahrer
geeignet?

Is it suitable for wheelchair users?
is_it 'ßu:təbl fə 'wi:ltscheə ju:səs?

 Gibt es eine Rampe für
Rollstuhlfahrer?

Is there a wheelchair ramp?
is ðər_ə 'wi:ltscheə 'rämp?

 Gibt es hier eine
Behindertentoilette?

Is there a disabled toilet around
here? is ðər_ə diß'äjbld
'tojlət ə'raund 'hiə?

Kann ich meinen (zu-sammenklappbaren) Rollstuhl mitnehmen?

Can I bring my (collapsible) wheel-chair? kən_ai 'bring mai (kə'läpßəbl) 'wi:ltschee?

Könnten Sie mir bitte beim *Einsteigen / Aus-steigen* helfen?

Could you please help me get *on / off*? kud_ju pli:s 'help mi get *'on / 'of*?

❸ Könnten Sie mir bitte die Tür *öffnen / aufhal-ten*?

Could you please *open / hold open* the door for me? kud_ju pli:s *'oupən / 'hould 'oupən* ðə 'do: fə mi:?

Haben Sie einen Platz, wo ich meine Beine ausstrecken kann?

Do you have a seat where I can stretch my legs out? du_ju häv_ə 'ßi:t weər_ai kən 'ßtretsch mai 'legs_aut?

Im Hotel

Hat das Hotel behin-dertengerechte Einrichtungen?

Does the hotel have facilities for disabled people? dəs ðə hou'tel häv fə'ßiləti:s fə diß'äjbld 'pi:pl?

Gibt es einen Eingang für Rollstuhlfahrer?

Does it have wheelchair access? dəs_it häv 'wi:ltschee 'äkßeß?

Haben Sie einen Rollstuhl für mich?

Do you have a wheelchair I could use? du_ju häv_ə 'wi:ltschee_ai kəd 'ju:s?

❸ Können Sie mir das Gepäck *aufs Zimmer / zum Taxi* tragen?

Could you take my luggage *up to my room / to the taxi*? kud_ju 'täjk mai 'lagidsch *'ap tə_mai 'ru:m / tə_ðə 'täkßi*?

❸ Wo ist der nächste Fahrstuhl?

Where's the nearest lift? 'weəs_ðə niərəßt 'lift?

Behinderte: weitere Wörter

Aufzug	lift lift
Begleitperson	companion kəm'pänjən
behindertengerecht	suitable for disabled people 'ßuːtəbl fə diß'äjbld 'piːpl
blind	blind blaind
Blindenhund	guide dog 'gaid dog
ebenerdig	level access 'levl 'äkßeß
Fahrstuhl	lift lift
Faltrollstuhl	collapsible wheelchair kə'läpßəbl 'wiːltscheə
gehbehindert sein	to have mobility problems häv mou'biləti probləms
Gehwagen	walker 'woːkə
Hebebühne	wheelchair lift 'wiːltscheə lift
Hörgerät	hearing aid 'hiəring äjd
hörgeschädigt	hearing impaired 'hiəring im'peəd
Inkontinenzartikel	incontinence article in'kontinənß 'aːtikl
Krücke	crutch kratsch
querschnittgelähmt	paraplegic pärə'pliːdschik
Rollstuhl	wheelchair 'wiːltscheə
Rolltreppe	escalator 'eßkəlajtə
stufenlos	without steps wið'aut 'ßtepß
Taststock	cane käjn
taub	deaf def

Kommuni-
kation

Ich hätte gern eine Telefonkarte.
A phonecard, please.

Wo gibt es hier ein Internet-Café?
Where's an internet café round here?

Telefon

info Zwar gibt es in Großbritannien vereinzelt noch Münztelefone (pay phone), die meisten Telefonapparate sind inzwischen aber Kartentelefone (cardphone, durch die Aufschrift Phonecard gekennzeichnet). Telefonkarten mit einer PIN-Nummer bekommen Sie bei Zeitungshändlern, bei der Post oder auch mal im kleinen Supermarkt. Beachten Sie aber, dass es zwei Haupttelefongesellschaften gibt, nämlich British Telecom (BT) und Virgin Media, für die man verschiedene Karten braucht. Einige Kartentelefone nehmen auch Kreditkarten an.

🔊 Wo kann ich hier telefonieren?

Where can I make a phone call around here? 'weə kən_ai 'mäjk_ə 'foun koːl ə'raund 'hiə?

Ich hätte gern eine Telefonkarte (zu … Pfund).

A (… pound) phonecard, please. ə (… 'paund) 'founkaːd, pliːs.

Entschuldigung, ich brauche Münzen zum Telefonieren.

Excuse me, could you give me some change for the phone? ik'ßkjuːs mi, 'kud_ju 'giv mi ßəm 'tʃhäljndʃ tə_ðə 'foun?

🔊 Wie ist die Vorwahl von …?

What's the code for …? 'wotß ðə 'koud fə …?

Hallo? Hier ist …

Hello? … here. hə'lou? … hiə.

info In Großbritannien sagt man beim Abheben des Telefons meistens nur Hello? Manchmal werden stattdessen die Nummer oder der Ort und die Nummer angegeben (z.B. Stockton 6 74 39). Im Geschäftsbereich wird die Firma und eventuell auch der Personenname (Vor- und Nachname) genannt. Man meldet sich nie nur mit dem Nachnamen.

72

Ich möchte … sprechen.	I'd like to speak to … aid 'laik tə 'ßpi:k tə …
Speaking.	Am Apparat.
I'll put you through.	Ich verbinde.
… is on the other line.	… spricht gerade.
I'm afraid … isn't here.	… ist leider nicht da.
… isn't in today.	… ist heute nicht im Haus.
Hold the line, please.	Bitte bleiben Sie am Apparat.
Can I take a message?	Kann ich etwas ausrichten?
⏵ Ab wie viel Uhr gilt der Nachttarif?	What time does the night-time rate start? wot‿'taim dəs ðə 'nait-taim räjt 'ßta:t?
Was kostet ein 3-minütiges Gespräch nach Deutschland?	How much is a 3-minute call to Germany? hau 'matsch is ə 'θri: minit 'ko:l tə 'dschö:məni?

info Wenn man von England aus nach Deutschland telefoniert, wählt man zuerst die internationale Vorwahl 00, dann 49 für Deutschland, dann die Ortsvorwahl ohne die erste 0, und danach die Nummer, z.B. 00 49 30 … für Berlin.

Bitte ein Ferngespräch nach …	A long-distance call to …, please. ə 'long'dißtənß ko:l tə …, pli:s.
Bitte ein R-Gespräch nach …	A reverse-charge call to …, please. ə ri'vö:ß 'tscha:dsch ko:l tə …, pli:s.

Internet-Café

🔊 Wo gibt es hier ein Internet-Café?

Where's an internet café round here? 'weəs_ən 'intənet 'käfäj raund 'hiə?

Ich möchte eine E-Mail senden.

I'd like to send an e-mail. aid 'laik tə 'ßend_ən_'i:mäjl.

🔊 Welchen Computer kann ich benutzen?

Which computer can I use? witsch kəm'pju:tə kən_ai 'ju:s?

Was kostet eine Viertelstunde?

How much is it for quarter of an hour? hau 'matsch_is_it fə 'kwo:tər_əv_ən_'auə?

🔊 Könnten Sie mir helfen?

Could you help me, please? kud_ju 'help mi, pli:s?

E-Mail

Back	Zurück
Compose	Mail verfassen
Delete	Löschen
Draft	Entwürfe
Forward	Weiterleiten
Inbox	Posteingang
Logout	Abmelden
New mail	Neue Mail
Outbox	Versendete Mails
Print	Drucken
Recycle bin	Papierkorb
Reply (all)	Antwort (an alle)
Save	Speichern
Send	Senden

Essen und Trinken

Was empfehlen Sie mir?
What do you recommend?

Was sind die Spezialitäten aus dieser Region?
What are the regional specialities here?

Reservieren und Platz nehmen

 Wo gibt es hier in der Nähe …

Is there … around here?
is ðər_… ə'raund 'hiə?

– ein Café?
– eine Kneipe?
– ein preiswertes Restaurant?
– ein typisches Restaurant?

– a café   ə 'käfäj
– a pub   ə 'pab
– a reasonably priced restaurant
  ə 'ri:snəbli praißt 'reßtəront
– a typical English restaurant
  ə 'tipikl 'inglisch 'reßtəront

 Einen Tisch für … Personen bitte.

A table for …, please.
ə 'täjbl fə …, pli:s.

Ich möchte einen Tisch für *zwei / sechs* Personen um … Uhr reservieren.

I'd like to reserve a table for *two / six* for … o'clock. aid 'laik tə ri'sö:v_ə 'täjbl fə *'tu: / 'ßikß* fə … ə'klok.

Wir haben einen Tisch für … Personen reserviert (auf den Namen …).

We've reserved a table for ….
(The name is …) wi:v ri'sö:vd_ə 'täjbl fə … (ðə 'näjm_is …)

Ist dieser *Tisch / Platz* noch frei?

Is this *table / seat* free?
is 'ðiß *'täjbl / 'ßi:t* 'fri:?

 Entschuldigung, wo sind hier die Toiletten?

Excuse me, where are the toilets?
ik'ßkju:s mi, 'weər_ə ðə 'tojlətß?

▶ für die Antwort: *Orts- und Richtungsangaben,* Seite 37

Smoking or non-smoking area?

Raucher- oder Nichtraucherzone?

Speisekarte

Breakfast menu

Frühstückskarte

coffee 'kofi	Kaffee
tea ti:	Tee
tea with lemon ti: wið 'lemən	Tee mit Zitrone
tea with milk ti: wið 'milk	Tee mit Milch
herbal tea hö:bl 'ti:	Kräutertee
bacon 'bäjkən	Speck
cereal 'ßiəriəl	Frühstücksflocken
croissant 'kraßong	Croissant
egg eg	Ei
fried bread fraid 'bred	frittiertes Brot
fried egg fraid‿'eg	Spiegelei
fried tomato fraid tə'ma:tou	gebratene Tomate
hard-boiled egg 'ha:dbojld‿'eg	hart gekochtes Ei
jam dschäm	Marmelade
kipper 'kipə	geräucherter Hering
marmalade 'ma:məläjd	Orangenmarmelade
mushrooms 'maschrums	Pilze
porridge 'poridsch	Haferbrei
sausage 'ßoßidsch	Wurst
scrambled egg ßkrämbld‿'eg	Rührei
soft-boiled egg ßoftbojld 'eg	weich gekochtes Ei
toast toußt	Toast

Menu

Speisekarte

Soups

Suppen

chicken soup 'tschikin ßu:p	Hühnersuppe
cock-a-leekie kokə'li:ki	Lauchsuppe mit Huhn
consommé kon'ßomäj	klare Brühe
cream of mushroom soup	Champignoncremesuppe
kri:m_əv 'maschrum ßu:p	
fish soup 'fisch su:p	Fischsuppe
julienne dschu:li'en	klare Gemüsesuppe
lentil soup 'lentl ßu:p	Linsensuppe
onion soup 'anjən ßu:p	Zwiebelsuppe
oxtail soup 'okßtäjl ßu:p	Ochsenschwanzsuppe
Scotch broth ßkotsch 'broθ	Gemüsesuppe mit Hammel-
	fleisch und Gerstengraupen
tomato soup tə'ma:tou ßu:p	Tomatensuppe
vegetable soup	Gemüsesuppe
'vedschtəbl ßu:p	

Starters, hors duvres

Vorspeisen

antipasti änti'päßti	italienische Vorspeisen
crudités 'kru:ditäj	Rohkost
garlic bread 'ga:lik 'bred	Knoblauchbrot

guacamole gwa:kə'mouli	Avocadodip
ham quiche 'häm ki:sch	Lothringer Speckkuchen
mixed salad mikßt 'ßäləd	gemischter Salat
olives 'olivs	Oliven
pâté de foie gras	Gänseleberpastete
'pätäj də fwa: 'gra:	
prawn cocktail	Krabbencocktail
'pro:n koktäjl	
salad 'ßäləd	Salat
salade Niçoise	grüner Salat mit Tomaten,
'ßäləd ni'ßwa:s	Ei, Käse, Sardellen und
	Oliven
smoked salmon	Räucherlachs
ßmoukt 'ßämən	
tomato salad	Tomatensalat
tə'ma:tou ßäləd	
vol-au-vent 'volouvon	Königinpastete

Meat dishes

Fleischgerichte

beef bi:f	Rindfleisch
beef bourguignon	Rindergulasch in Rotwein
'bi:f buəgin'jong	
burger 'bö:gə	Frikadelle
chop tschop	Kotelett
Cornish pasty	Teigtasche mit Rindfleisch,
ko:nisch 'päjßti	Kartoffeln und Zwiebeln
cottage pie kotidsch 'pai	gewürfeltes Fleisch in Soße,
	mit Kartoffelbrei bedeckt
	und gebacken
cutlet 'katlət	Kotelett

entrecôte steak	Rippenstück
'ontrəkot 'ßtäjk	
escalope 'eßkəlop	dünnes Kalbsschnitzel
escalope in breadcrumbs	Wiener Schnitzel
'eßkəlop in 'bredkrams	
fillet 'filət	Filet
fillet of beef 'filət_əv 'bi:f	Rinderfilet
game gäjm	Wild
game pie gäjm 'pai	Wildpastete
hamburger 'hämbö:gə	Hamburger
heart ha:t	Herz
hotpot 'hotpot	Fleischeintopf mit Kartoffel- einlage
Irish stew 'airisch 'ßtju:	Hammelfleischeintopf mit Kartoffeln und Zwiebeln
kidneys 'kidnis	Nieren
lamb läm	Lammfleisch
leg leg	Keule
leg of lamb 'leg_əv 'läm	Lammkeule
leg of mutton 'leg_əv 'matn	Hammelkeule
liver 'livə	Leber
loin lojn	Lende
meatballs 'mi:tbo:ls	Fleischklößchen
minced meat minßt 'mi:t	Hackfleisch
mixed grill mikßt 'gril	gemischte Grillplatte
mutton 'matn	Hammelfleisch
pork po:k	Schweinefleisch
pork pie po:k 'pai	Schweinefleischpastete
pot roast 'pot roußt	Schmorbraten
rabbit 'räbit	Kaninchen
roast roußt	Braten
roast beef 'roußt bi:f	Rinderbraten; Roastbeef (kalt)

roast pork roußt 'po:k	Schweinebraten
sausages 'ßoßid<u>sch</u>is	Würstchen
shepherd's pie schepəds 'pai	Auflauf aus Hackfleisch und Kartoffelbrei
sirloin 'ßö:lojn	Rinderlende
steak ßtäjk	Steak
steak and kidney pie 'ßtäjk_ən 'kidni pai	Rindersteak und -nieren, gewürfelt, in Rindertalgteig gebacken
steak au poivre 'ßtäjk ou 'pwa:vrə	Pfeffersteak
steak tartare 'ßtäjk ta:'ta:	Tatar
stew ßtju:	Fleischeintopf
sucking pig 'ßaking pig	Spanferkel
tongue tang	Zunge
veal vi:l	Kalbfleisch
venison 'venißən	Reh

Poultry

Geflügel

chicken 'tschikin	Huhn, Hähnchen
chicken breast 'tschikin breßt	Hühnerbrust
chicken livers 'tschikin livəs	Hühnerleber
chicken wings 'tschikin wings	Hühnerflügel
coq au vin 'kok_ou 'väng	Hähnchen in Rotweinsoße
duck dak	Ente
duck à l'orange 'dak_a_lo'ron<u>sch</u>	Ente mit Orange
goose gu:ß	Gans
grouse grauß	Moorhuhn

partridge	'pa:tridsch	Rebhuhn
pheasant	'fesnt	Fasan
poultry	'poultri	Geflügel
quail	kwäjl	Wachtel
roast chicken	roußt 'tschikin	Brathähnchen
roast duck	roußt 'dak	Entenbraten
turkey	'tö:ki	Pute, Truthahn

Fish

Fisch

anchovies	'äntschəvis	Sardellen
bass	bäß	Seebarsch
carp	ka:p	Karpfen
cod	kod	Kabeljau
Dover sole	'douvə 'soul	Seezunge
eel	i:l	Aal
fish fingers	fisch 'fingəz	Fischstäbchen
fresh-water fish		Süßwasserfisch
'freschwo:tə 'fisch		
haddock	'hädək	Schellfisch
halibut	'hälibət	Heilbutt
herring	'hering	Hering
kedgeree	'kedschəri:	Reisgericht mit Fisch und hartgekochten Eiern
kipper	'kipə	Bückling
mackerel	'mäkərəl	Makrele
mullet	'malit	Barbe
perch	pö:tsch	Barsch
plaice	pläjß	Scholle
salmon	'ßämən	Lachs
salt-water fish	'ßo:ltwo:tə fisch	Seefisch

sardines ßaː'diːns	Sardinen
swordfish 'ßoːdfisch	Schwertfisch
trout traut	Forelle
tuna 'tjuːnə	Thunfisch

Seafood

Meeresfrüchte

calamari kälə'maːri	gebratene Tintenfischringe
clams klämß	Venusmuscheln
crab kräb	Krebs
king prawns 'king proːns	Riesengarnelen
lobster 'lobßtə	Hummer
mussels 'maßls	Muscheln
oysters 'ojßtəs	Austern
prawns proːns	Garnelen
scallops 'ßkoləpß	Jakobsmuscheln
seafood 'ßiːfuːd	Meeresfrüchte
shellfish 'schelfisch	Schalentiere

Eggs

Eier

cheese omelette 'tschiːs 'omlət	Käseomelett
ham and eggs 'häm_ən_'egs	Spiegeleier mit Vorderschinken
omelette 'omlət	Omelett
Spanish omelette 'ßpänisch 'omlət	Omelett mit Paprika, Tomaten und Zwiebeln

Extras

baked potato bäjkt pə'täjtou   gebackene Kartoffel
boiled potatoes   Salzkartoffeln
bojld pə'täjtous
boiled rice bojld 'raiß   gekochter Reis
chips tschipß   Pommes frites
dumplings 'damplings   Knödel
French fries frentsch 'frais   Pommes frites
fried potatoes   Bratkartoffeln
fraid pə'täjtous
jacket potato   gebackene Kartoffel
'dschäkit pə'täjtou
mashed potatoes   Kartoffelpüree
'mäscht pə'täjtous
potato croquettes   Kroketten
pə'täjtou krə'ketß
potato salad pə'täjtou ßäləd   Kartoffelsalat
sauté potatoes   Schwenkkartoffeln
'ßoutäj pə'täjtous

Vegetables

asparagus ə'ßpärəgəß   Spargel
aubergine 'oubəschi:n   Aubergine
baked beans bäjkt 'bi:ns   gebackene Bohnen in
                                  Tomatensoße
beans bi:ns   Bohnen
beetroot 'bi:tru:t   Rote Bete

84

broad beans bro:d 'bi:ns	dicke Bohnen
Brussels sprouts 'braßəls_'ßprautß	Rosenkohl
butter beans 'batə bi:ns	weiße Bohnen
cabbage 'käbidsch	Kohl
cauliflower 'koliflauə	Blumenkohl
cauliflower cheese 'koliflauə tschi:s	Blumenkohl mit Käse überbacken
celery 'ßeləri	Sellerie
chickpeas 'tschikpi:s	Kichererbsen
chicory 'tschikəri	Chicoreé
chillis 'tschilis	Peperoni
coleslaw 'koulßlo:	Krautsalat
corn on the cob 'ko:n on ðə 'kob	Maiskolben
courgettes kuə'schetß	Zucchini
cucumber 'kju:kambə	Gurke
fennel 'fenl	Fenchel
French beans frentsch 'bi:ns	grüne Bohnen
iceberg lettuce 'aißbö:g 'letiß	Eissalat
kidney beans 'kidni bi:ns	rote Bohnen
lamb's lettuce 'läms letiß	Feldsalat
lentils 'lentls	Linsen
lettuce 'letiß	Kopfsalat
mangetout monsch'tu:	Zuckererbsen
mushrooms 'maschrums	Pilze
onion 'anjən	Zwiebel
parsnips 'pa:ßnipß	Pastinaken
peas pi:s	Erbsen
peppers 'pepəs	Paprikaschoten
pumpkin 'pampkin	Kürbis
radish 'rädisch	Radieschen

red cabbage red 'käbidsch	Rotkohl
shallot schə'lot	Schalotte
spinach 'ßpinitsch	Spinat
spring onions 'ßpring anjəns	Frühlingszwiebeln
sweetcorn 'ßwi:tko:n	Mais
tomatoes tə'ma:tous	Tomaten
turnip 'tö:nip	Rübe
watercress 'wo:təkreß	(Brunnen)Kresse

Ways of Cooking

Zubereitungsarten

au gratin ou 'grätän	überbacken
baked bäjkt	gebacken
barbecued 'ba:bikju:d	gegrillt
boiled bojld	gekocht
braised bräjsd	geschmort
breaded 'bredid	paniert
deep-fried di:p'fraid	frittiert
flambé 'flombäj	flambiert
fried fraid	(in der Pfanne) gebraten
marinated 'märinäjtid	eingelegt, mariniert
medium (rare)	medium
'mi:diəm ('reə)	
pickled 'pikld	in Essig eingelegt, gepökelt
rare reə	englisch, blutig
roasted 'roußtid	geröstet
smoked ßmoukt	geräuchert
steamed ßti:md	gedämpft, gedünstet
well done wel 'dan	durchgebraten

Cheese

Käse

blue cheese	blu: 'tschi:s	Blauschimmelkäse
Cheddar	'tschedə	englischer bzw. irischer Käse, mild bis würzig
cheeseboard	'tschi:sbo:d	Käseplatte
cream cheese	kri:m 'tschi:s	Frischkäse
double Gloucester 'dabl 'gloßtə		voller, scharfer englischer Käse
feta	'fetə	Schafskäse
goat's cheese	'goutß tschi:s	Ziegenkäse
Stilton	'ßtiltən	englischer Blauschimmelkäse

Desserts/Sweets and Cakes

Nachspeisen und Kuchen

apple crumble	'äpl krambl	Apfeldessert mit Streuseln
apple pie	äpl 'pai	(gedeckter) Apfelkuchen
Black Forest gâteau bläk 'foreßt gätou		Schwarzwälder Kirschtorte
blancmange	blə'monsch	Pudding
cheese cake	'tschi:s käjk	Käsekuchen
chocolate mousse 'tschoklət mu:ß		Schokoladencreme
cream	kri:m	Sahne
crème brûlée	'krem bru:'läj	Karamellpudding
crumpet	'krampit	getoastetes Hefegebäck, mit Butter bestrichen
custard	'kaßtəd	Vanillesoße

Danish pastry	Plunderstück
däjnisch 'päjßtri	
doughnut 'dounat	Krapfen
fruit salad 'fruːt ßäləd	Obstsalat
ice cream aiß ˛'kriːm	Eis
knickerbocker glory	Früchtebecher mit Eis und
'nikəbokə gloːri	Sahne
macaroon mäkə'ruːn	Makrone
meringue mə'räng	Baiser
muffin 'mafin	Hefeteigbrötchen, heiß mit
	Butter gegessen
pancake 'pänkäjk	Pfannkuchen
rice pudding raiß 'puding	Reisbrei
scone ßkon	kleiner, runder Kuchen, mit
	Butter bzw. Dickrahm und
	Marmelade gegessen
sundae 'ßandäj	Eisbecher
trifle 'traifl	in Sherry getränkter Biskuit-
	boden, darauf Früchte in
	Wackelpeter, Vanillesoße
	und Sahne

Fruit and Nuts

Obst und Nüsse

almonds 'aːmənds	Mandeln
apple 'äpl	Apfel
apricots 'äjprikotß	Aprikosen
banana bə'naːnə	Banane
blackberries 'bläkbəris	Brombeeren
blackcurrants bläk'karəntß	Schwarze Johannisbeeren
Brazil nuts brə'sil 'natß	Paranüsse

cherries	'tscheris	Kirschen
chestnuts	'tscheßtnatß	Kastanien
coconut	'koukənat	Kokosnuss
cranberries	'kränbəris	Preiselbeeren
currants	'karəntß	Korinthen
figs	figs	Feigen
fruit	fru:t	Obst
gooseberries	'gu:ßbəris	Stachelbeeren
grapes	gräjpß	Weintrauben
greengage	'gri:ngäjdsch	Reineclaude
hazelnuts	'häjslnatß	Haselnüsse
kiwifruit	'ki:wi:fru:t	Kiwi
lemon	'lemən	Zitrone
lime	laim	Limone
mandarine	'mändərin	Mandarine
melon	'melən	Melone
nuts	natß	Nüsse
orange	'orəndsch	Orange
peach	pi:tsch	Pfirsich
peanuts	'pi:natß	Erdnüsse
pear	peə	Birne
pineapple	'painäpl	Ananas
pistachios	pi'ßtäschious	Pistazien
plum	plam	Pflaume
raisins	'räjsns	Rosinen
raspberries	'ra:sbəris	Himbeeren
redcurrants	red'karəntß	Rote Johannisbeeren
rhubarb	'ru:ba:b	Rhabarber
strawberries	'ßtro:bəris	Erdbeeren
walnuts	'wo:lnatß	Walnüsse

Beverages

Wine, Champagne

Wein, Sekt

champagne schäm'päjn	Champagner, Sekt
dessert wine di'sö:t wain	Dessertwein
dry drai	trocken
house wine 'hauß wain	Hauswein
medium 'mi:diəm	halbtrocken
port po:t	Portwein
red wine red 'wain	Rotwein
rosé rou'säj	Rosé
sherry scheri	Sherry
sparkling wine 'ßpa:kling wain	Schaumwein, Sekt
sweet ßwi:t	lieblich
white wine wait 'wain	Weißwein
wine wain	Wein
wine by the glass	offener Wein
'wain bai ðə 'gla:ß	

Beer

Bier

beer biə	Bier
bitter 'bitə	stark gehopftes Bier
draught beer 'dra:ft biə	Bier vom Fass

lager 'laːgə	helles Bier
low-alcohol beer	alkoholarmes Bier
lou‿'älkəhol biə	
non-alcoholic beer	alkoholfreies Bier
'nonälkəholik 'biə	
stout ßtaut	dunkles Bier

Other alcoholic drinks

Andere alkoholische Getränke

Bloody Mary bladi 'meəri	Tomatensaft mit Wodka
brandy 'brändi	Weinbrand, Kognak
cider 'ßaidə	Apfelwein
gin and tonic	Gin-Tonic
dschin‿ən 'tonik	
liqueur li'kjuə	Likör
malt whisky moːlt 'wißki	aus gemälztem Korn
	gebrannter Whisky
rum ram	Rum
Scotch 'ßkotsch	schottischer Whisky
whisky 'wißki	Whisky
whisky on the rocks	Whisky mit Eis
'wißki on‿ðə 'rokß	

Non-alcoholic drinks

alkoholfreie Getränke

apple juice 'äpl dschuːß	Apfelsaft
fruit juice 'fruːt dschuːß	Fruchtsaft
ginger ale 'dschindschər‿'äjl	Ingwerlimonade
iced coffee aißt 'kofi	Eiskaffee

juice dschu:ß	Saft
lemonade lemə'näjd	Limonade
milkshake 'milkschäjk	Milchmixgetränk
mineral water	Mineralwasser
'minərəl 'wo:tə	
orange juice	Orangensaft
'orəndsch dschu:ß	
soft drink 'ßoft drink	alkoholfreies Getränk
sparkling mineral water	Mineralwasser mit
'ßpa:kling 'minərəl 'wo:tə	Kohlensäure
still mineral water	Mineralwasser ohne
'ßtil 'minərəl wo:tə	Kohlensäure
tap water 'täp wo:tə	Leitungswasser
tomato juice	Tomatensaft
tə'ma:tou dschu:ß	
tonic water 'tonik wo:tə	Tonic

Hot drinks

Heiße Getränke

black coffee bläk 'kofi	Kaffee ohne Milch
coffee 'kofi	Kaffee
espresso eß'preßou	Espresso
herbal tea hö:bl 'ti:	Kräutertee
hot chocolate hot 'tschoklət	heiße Schokolade
tea ti:	Tee
tea with lemon	Tee mit Zitrone
ti: wið 'lemən	
tea with milk ti: wið 'milk	Tee mit Milch
white coffee wait 'kofi	Kaffee mit Milch

Bestellen

info In englischsprachigen Ländern macht man die Bedienung mit Excuse me! auf sich aufmerksam. Rufen Sie nicht Waiter! oder Waitress! Das wirkt unhöflich.

Die Karte bitte.	Could I see a menu, please? kud_ai 'ßi:_ə 'menju:, pli:ß?
🔴 Ich möchte nur eine Kleinigkeit essen.	I'd just like a snack. aid 'dschaßt laik_ə 'ßnäk.
🔴 Gibt es jetzt noch etwas Warmes zu essen?	Are you still serving hot meals? a:_ju 'ßtil ßö:ving 'hot 'mi:ls?
🔴 Ich möchte nur etwas trinken.	I'd just like something to drink. aid 'dschaßt laik 'ßamθing tə 'drink.
What would you like to drink?	Was möchten Sie trinken?
🔴 Ich möchte ...	I'll have ..., please. ail 'häv ..., pli:ß.
– ein Glas Rotwein.	– a glass of red wine ə 'gla:ß_əv 'red 'wain
– eine Flasche Weißwein.	– a bottle of white wine ə 'botl_əv 'wait 'wain
– eine Karaffe Hauswein.	– a carafe of house wine ə kə'räf_əv 'hauß 'wain
– ein Bier.	– a beer ə 'biə
– eine Karaffe Wasser.	– a carafe of water ə kər'äf_əv 'wo:tə
– eine *kleine/große* Flasche Mineralwasser.	– a *small/large* bottle of mineral water ə 'ßmo:l/'la:dsch botl_əv 'minərəl 'wo:tə
– eine Tasse Kaffee.	– a cup of coffee ə 'kap_əv 'kofi
– noch etwas Brot.	– some more bread ßəm mo: 'bred

93

🔊 Haben Sie auch offe-
nen Wein?

Do you sell wine by the glass?
du_ju ßel 'wain bai ðə 'gla:ß?

info In manchen Restaurants und Cafés kann man alkoholische Getränke nur bestellen, wenn man auch
etwas isst. Es kommt auf die jeweilige Schankerlaubnis an. In
manchen Restaurants, die keine Lizenz zum Verkauf von Alkohol
haben, darf man seine eigenen alkoholischen Getränke mitbringen. Dafur bezahlt man eine kleine cork charge (Korkenge-
bühr).

What would you like
to eat?

Was möchten Sie essen?

Ich möchte …

I'll have … ail 'häv …

– das Menü zu
   … Pfund.
– eine Portion …
– ein Stück …

– the … pound menu.
   ðə … paund 'menju:.
– a portion of … ə 'po:schn_əv …
– a piece of … ə 'pi:ß_əv …

94

Was empfehlen Sie mir? | What do you recommend? 'wot du_ju rekə'mend?

Was sind die Spezialitäten aus dieser Region? | What are the regional specialities here? 'wot_ə_ðə 'ri:dschnəl ßpeschi'äliti:s 'hiə?

Haben Sie … | Do you serve … du_ju 'ßö:v …

– diabetische Kost? | – diabetic meals? daiə'betik mi:ls?
– Diätkost? | – dietary meals? 'daiətəri mi:ls?
– vegetarische Gerichte? | – vegetarian dishes? vedschə'teəriən 'dischis?

Ist … in dem Gericht? Ich darf das nicht essen. | Does it have … in it? I'm not allowed to eat any. dəs_it häv … 'in_it? aim 'not_ə'laud tu_'i:t_eni.

How would you like your steak? | Wie möchten Sie Ihr Steak?

Blutig. | Rare. reə.

Englisch. | Medium rare. 'mi:diəm 'reə.

Medium. | Medium. 'mi:diəm.

Gut durchgebraten. | Well done. wel 'dan.

Bitte bringen Sie mir noch etwas … | Could you bring me some more …, please? kud_ju 'bring mi ßəm 'mo: …, pli:s?

What would you like as a starter / for dessert? | Was nehmen Sie als Vorspeise / Nachtisch?

Danke, ich nehme keine Vorspeise / keinen Nachtisch. | I won't have a starter / dessert, thank you. ai 'wount häv_ə 'ßta:tə / di'sö:t, 'θänk_ju.

What kind of dressing would you like?	Welche Salatsoße hätten Sie gern?
Könnte ich ... statt ... haben?	Could I have ... instead of ...? kud͜_ai häv ... inˈßted͜_əv ...?

Reklamieren

🔵 Das habe ich nicht bestellt. Ich wollte ...	That's not what I ordered. I wanted ... ðätß ˈnot wot͜_ai ˈo:did. ai ˈwontid ...
Haben Sie mein ... vergessen?	Have you forgotten my ...? häv͜_ju fəˈgotn mai ...?
Hier *fehlt / fehlen* noch ...	*There's / There are* no ... ðes / ðer͜_ə ˈnou ...
Das Essen ist *kalt / versalzen*.	The food is *cold / too salty*. ðə ˈfu:d͜_is ˈkould / ˈtu: ˈßo:lti.
🔵 Das Fleisch ist nicht lang genug gebraten.	The meat isn't cooked through. ðə ˈmi:t isnt ˈkukt ˈθru:.
🔵 Bitte nehmen Sie es zurück.	Could you take it back, please? kud͜_ ju ˈtäjk it ˈbäk, pli:s?

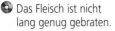 zu Lob: *Gefallen und Missfallen ausdrücken,* Seite 17

Bezahlen

🔵 Die Rechnung bitte!	Could I have the bill, please? kud͜_ai häv ðə ˈbil, pli:s?
Ich möchte bitte eine Quittung.	Could I have a receipt, please? kud͜_ai häv͜_ə riˈßi:t, pli:s?
🔵 Wir möchten getrennt bezahlen.	We'd like to pay separately. wi:d ˈlaik tə ˈpäj ˈßeprətli.

Essen und Trinken

Bitte alles zusammen.	All together, please. 'o:l tə'geðə, pli:s.
Did you enjoy it?	Hat es Ihnen geschmeckt?
Sagen Sie dem Koch mein Kompliment!	Would you give my compliments to the chef? wud_ju 'giv mai 'kompliməntß tə_ðə 'schef?
Es war ausgezeichnet.	It was excellent. it wəs 'ekßələnt.
Ich glaube, hier stimmt etwas nicht.	I think there's been a mistake. ai 'θink ðes 'bin_ə mi'ßtäjk.
Bitte rechnen Sie es mir vor.	Could you go through it with me, please? kud_ju gou 'θru:_it wið mi, pli:s?

info In britischen Restaurants ist ein Trinkgeld von etwa 10 Prozent oder ein bisschen mehr angebracht. Oft wird dies automatisch auf die Rechnung gesetzt. Sie sollten also, wenn Sie sich die Preise ansehen, 10 bis 15 Prozent hinzurechnen, es sei denn, es steht unten auf der Speisekarte ausdrücklich *Service/Charge included* (inklusive Bedienung). In diesem Fall wird kein weiteres Trinkgeld erwartet.
Es ist üblich, das Trinkgeld auf dem Tisch zu hinterlassen und es nicht direkt dem Kellner zu geben.

Essen und Trinken: weitere Wörter

▶ *Lebensmittel: weitere Wörter,* Seite 108

Abendessen	supper 'ßapə
Aschenbecher	ashtray 'äschträj
Bedienung *(Service)*	service 'ßö:viß
Bedienung *(Kellner/ Kellnerin)*	waiter/waitress 'wäjtə/'wäjtrəß
Beilage	side dish 'ßaid_disch
Besteck	cutlery 'katləri
bestellen	to order 'o:də
bezahlen	to pay päj
bezahlen, getrennt	to pay separately päj 'ßeprətli
bezahlen, zusammen	to pay together päj tə'geðə
Brot	bread bred
Brot, belegtes	sandwich 'ßänwidsch
Brötchen	roll roul
Butter	butter 'batə
Diät	diet 'daiət
durstig sein	to be thirsty bi: 'θö:ßti
essen	to eat i:t
Essen	food fu:d
Essig	vinegar 'viniqə
fett	fatty 'fätı
Fisch	fish fisch
Flasche	bottle 'botl
Fleisch	meat mi:t
frisch	fresh fresch
Frühstück	breakfast 'brekfəßt
Gabel	fork fo:k
Gang	course ko:ß
Gebäck	biscuits pl 'bißkitß
Gedeck	cover 'kavə
Gemüse	vegetables pl 'vedschtəbls
Gericht	meal mi:l

Getränk	drink drink
gewürzt	seasoned 'ßi:snd
Glas	glass gla:ß
Gräte	bone boun
Hauptgericht	main course mäjn 'ko:ß
hausgemacht	homemade houm'mäjd
heiß	hot hot
hungrig sein	to be hungry bi: 'hangri
Joghurt	yoghurt 'jogət
Kakao	cocoa 'koukou
kalt	cold kould
Kartoffeln	potatoes pə'täjtous
Käse	cheese tschi:s
Kellner	waiter 'wäjtə
Kellnerin	waitress 'wäjtrəß
Ketchup	ketchup 'ketschap
Kneipe	pub pab
Knoblauch	garlic 'ga:lik
Kuchen	cake käjk
Löffel	spoon ßpu:n
mager	lean li:n
Margarine	margarine ma:dschə'ri:n
Marmelade	jam dschäm
Mayonnaise	mayonnaise mäjə'näjs
Menü	set meal ßet 'mi:l
Messer	knife naif
Mineralwasser *mit /* *ohne* Kohlensäure	*sparkling / still* mineral water 'ßpa:kling / 'ßtil 'minərəl 'wo:tə
Mittagessen	lunch lantsch
Nachtisch	dessert di'sö:t
Nudeln	pasta 'päßtə
Obst	fruit fru:t
Öl	oil ojl
Pfeffer	pepper 'pepə
Pilze	mushrooms 'maschrums

Pizza	pizza 'pi:tßə
Portion	portion 'po:schn
Reis	rice raiß
Restaurant	restaurant 'reßtəront
Rindfleisch	beef bi:f
roh	raw ro:
Rohkost	crudités 'kru:ditäj
Sahne	cream kri:m
Salat	salad 'ßäləd
Salatsoße	dressing 'dreßing
Salz	salt ßo:lt
satt sein	to be full bi: 'ful
scharf	hot hot
Senf	mustard 'maßtəd
Serviette	napkin 'näpkin
Soße *(allgemein)*	sauce ßo:ß
Soße *(Bratensoße)*	gravy 'gräjvi
Spezialität	speciality ßpeschi'äləti
Stück	piece pi:ß
Suppe	soup ßu:p
süß	sweet ßwi:t
Süßstoff	sweetener 'ßwi:tnə
Tasse	cup kap
Tee	tea ti:
Teller	plate pläjt
Tisch	table 'täjbl
trinken	to drink drink
Trinkgeld	tip tip
vegetarisch	vegetarian vedschə'teəriən
Vorspeise	starter 'ßta:tə
Wasser	water 'wo:tə
Wein	wine wain
Zahnstocher	toothpick 'tu:θpik
Zucker	sugar 'schugə

Einkaufen

Danke, ich sehe mich nur um.
I'm just looking, thanks.

Haben Sie das auch in einer anderen Farbe?
Do you have it in a different colour?

Preise verhandeln und bezahlen

 Wie viel kostet das?

How much is that?
hau 'matsch‿is ðät?

Was *kostet/kosten* ...?

How much is/are ...?
hau 'matsch‿is/a: ...?

 Das ist mir zu teuer.

That's too expensive.
ðätß 'tu: ik'ßpenßiv.

Haben Sie auch etwas Preiswerteres?

Do you have anything cheaper?
du‿ju häv‿'eniθing 'tschi:pə?

Können Sie mir mit dem Preis etwas entgegenkommen?

Are you able to give me a discount? a:‿ju 'äjbl tə 'giv mi‿ə 'dißkaunt?

 Haben Sie ein Sonderangebot?

Do you have anything on special offer? du‿ju häv‿'eniθing on 'ßpeschl 'ofə?

Kann ich mit (dieser) Kreditkarte zahlen?

Can I pay with (this) credit card?
kən‿ai 'päj wið ('ðiß) 'kredit ka:d?

 Ich hätte gerne eine Quittung.

I'd like a receipt, please.
ald 'laik‿ə ri'ßi:t, pli:s.

Allgemeine Wünsche

Wo bekomme ich ...?
Where can I get ...?
'weə kən_ai 'get ...?

What would you like?
Was wünschen Sie?

Can I help you?
Kann ich Ihnen helfen?

Danke, ich sehe mich nur um.
I'm just looking, thanks.
aim 'dschaßt 'luking, 'θänkß.

Ich werde schon bedient.
I'm being served, thanks.
aim 'bi:ing 'ßö:vd, 'θankß.

Ich hätte gerne ...
I'd like ... aid 'laik ...

Das gefällt mir nicht so gut.
I don't like that so much.
ai dount 'laik ðät ßou 'matsch.

Zeigen Sie mir bitte ...
Could you show me ..., please?
kud_ju 'schou mi ..., pli:s?

Können Sie mir noch etwas anderes zeigen?
Is there anything else you could show me? is ðər_'eniθing_'elß ju kən 'schou mi:?

Ich muss mir das noch mal überlegen.
I'll have to think about it.
ail 'häv_tə 'θink_ə'baut_it.

Das gefällt mir. Ich nehme es.
I like that. I'll take it.
ai 'laik ðät. ail 'täjk_it.

Anything else?
Darf es sonst noch etwas sein?

Danke, das ist alles.
That's all, thanks.
ðätß_'o:l, 'θänkß.

Haben Sie eine Tüte?
Do you have a bag?
du_ju häv_ə 'bäg?

Können Sie es mir für die Reise verpacken?	Could you pack it up for my journey, please? kud_ju 'päk_it_'ap fə mai '<u>dsch</u>ö:ni, pli:s?
Können Sie es als Geschenk einpacken?	Could you wrap it up as a present, please? kud_ju 'räp_it_'ap_əs_ə 'presnt, pli:s?
Können Sie mir das nach Deutschland schicken?	Can you send that to Germany for me? kən_ju 'ßend ðät tə '<u>dsch</u>ö:məni fə mi:?
Ich möchte das *umtauschen* / *zurückgeben*.	I'd like to *exchange* / *return* this. aid 'laik tu_*ikß'tschäjndsch* / *ri'tö:n* ðiß.

Preise und Wünsche: weitere Wörter

Ausverkauf	sale ßäjl
billig(er)	cheap(er) 'tschi:p(ə)
Geld	money 'mani
(zu) groß	(too) big ('tu:) 'big
größer	bigger 'bigə
kaufen	to buy bai
kosten	to cost koßt
Kreditkarte	credit card 'kredit ka:d
Quittung	receipt ri'ßi:t
Schaufenster	shop window 'schop windou
Scheck	cheque tschek
Schlussverkauf	end of season sales 'end_əv 'ßi:sn 'ßäjls
Selbstbedienung	self-service ßelf'ßö:viß
Sonderangebot	special offer ßpeschl 'ofə
(zu) teuer	(too) expensive ('tu:) ik'ßpenßiv
zeigen	to show schou
zurückgeben	to return ri'tö:n

Geschäfte

Andenkenladen	souvenir shop	ßu:və'niə schop
Antiquitätengeschäft	antique shop	än'ti:k schop
Apotheke	chemist	'kemißt

info Apotheken verkaufen nur Medikamente und keine Parfümerieartikel. Ausnahme: „Boots", eine Drogeriekette mit Toilettenartikeln und Apothekenabteilung.

Bäckerei	bakery	'bäjkəri
Blumengeschäft	florist	'florißt
Boutique	boutique	bu:'ti:k
Buchhandlung	bookshop	'bukschop
Drogerie	chemist	'kemɪßt
Einkaufszentrum	shopping centre	'schoping ßentə
Elektrohandlung	electrical shop	i'lektrikl schop
Feinkostgeschäft	delicatessen	delikə'teßn
Fischgeschäft	fishmonger	'fischmangə
Fleischerei	butcher's	'butschəs
Fotogeschäft	photo shop	'foutou schop
Friseur *(Herren)*	barber	'ba:bə
Friseursalon	hairdresser	'heədreßə
Haushaltswaren	ironmonger's	'aiənmangəs
Juwelier	jeweller's	'dschuələs
Kaufhaus	department store	di'pa:tmənt sto:
Kiosk	kiosk	'ki:oßk
Konditorei	cake shop	'käjk schop
Lebensmittelgeschäft	grocer's	'groußəs
Lederwarengeschäft	leather shop	'leðə schop
Markt	market	'ma:kit
Musikgeschäft	music shop	'mju:sik schop
Obstgeschäft	fruitseller	'fru:tßelə
Obst- und Gemüsegeschäft	greengrocer's	'gri:ngroußəs

Optiker	**optician** op'tischn
Parfümerie	**perfume shop** 'pö:fju:m schop
Reinigung	**dry cleaner's** drai 'kli:nəs
Schreibwarengeschäft	**stationer's** 'ßtäjschənəs
Schuhgeschäft	**shoe shop** 'schu: schop
Schuhmacher	**shoe repair shop** 'schu: ri'peə schop
Sportgeschäft	**sports shop** 'ßpo:tß schop
Supermarkt	**supermarket** 'ßu:pəma:kit
Süßwaren	**sweet shop** 'ßwi:t schop
Tabakwaren	**tobacconist** tə'bäkənißt
Uhrmacher	**watch shop** 'wotsch_schop
Waschsalon	**launderette** lo:n'dret
Zeitungsstand	**newsagent** 'nju:säjdschənt

info Geschäfte sind von 9 bis 19, 20 oder 22 Uhr geöffnet. Große Supermärkte und normale Läden in größeren Städten sind auch sonntags geöffnet, dann aber nicht ganz so lange. Neben einigen Supermärkten haben auch Tankstellen manchmal 24 Stunden geöffnet. Zusätzlich gibt es überall kleine Lebensmittelgeschäfte, die bis spät abends offen bleiben, manche sogar rund um die Uhr.

Lebensmittel

info Laut Gesetz dürfen Gemüsehändler, Supermärkte usw. in Großbritannien ihre Waren nur noch in Kilo und Liter verkaufen, um das Land mit den anderen europäischen Ländern einheitlich zu machen. Viele Leute fragen aber immer noch nach half a pound of … oder a pint of …. Ein englisches Pfund ist mit 454 Gramm etwas weniger als ein deutsches und ein pint ist etwas mehr als ein halber Liter, nämlich genau 0,568 Liter. Bier wird in Pint-Gläsern ausgeschenkt; Bierflaschen haben aber meist 500 ml.

Was ist das?	What's that? wotß 'ðät?
Bitte geben Sie mir …	Could I have …, please? kud_ai häv …, pli:s?
– 100 Gramm …	– a hundred grammes of … ə 'handrəd 'gräms_əv …
– 1 Kilo …	– a kilo of … ə 'ki:lou_əv …
– 1 Liter …	– a litre of … ə 'li:tər_əv …
– 1 halben Liter …	– half a litre of … 'ha:f_ə 'li:tər_əv …
– 4 Scheiben …	– four slices of … 'fo: 'ßlaißis_əv …
– 1 Stück …	– a piece of … ə 'pi:ß_əv …
It's a bit over. Is that all right?	Darf es etwas mehr sein?
Etwas *weniger/mehr* bitte.	A bit *less/more*, please. ə bit 'leß / 'mo:, pli:s.
Kann ich davon etwas probieren?	Could I try some? kud_ai 'trai ßam?

info Alkoholische Getränke kann man außer im Supermarkt auch in den sogenannten off-licences kaufen. Das sind Geschäfte mit einer Lizenz zum Verkauf von Alkoholika, die auch abends offen haben. Die bekanntesten von ihnen sind „Thresher's", „Bottoms Up", „Oddbins" und „Victoria Wine Shop".

Lebensmittel: weitere Wörter

Ananas	pineapple	'painäpl
Apfel	apple	'äpl
Apfelsaft	apple juice	'äpl dschu:ß
Apfelwein	cider	'ßaidə
Aprikose	apricot	'äjprikot
Artischocke	artichoke	'a:titschouk
Aubergine	aubergine	'oubəschi:n
Austern	oysters	'ojßtəs
Avocado	avocado	'ävə'ka:dou
Babynahrung	baby food	'bajbı fu:d
Balsamicoessig	balsamico	bo:l'ßämikou
Banane	banana	bə'na:nə
Basilikum	basil	'bäsl
Bier	beer	biə
Bier, alkoholfreies	alcohol-free beer	'älkəholfri: 'biə
Birne	pear	peə
Bohnen	beans	bi:ns
Bohnen, grüne	runner beans	'ranə bi:ns
Bohnen, weiße	haricot beans	'härikou bi:ns
Brokkoli	broccoli	'brokəli
Brot	bread	bred

108

Brötchen	roll roul
Butter	butter 'batə
Chicorée	chicory 'tschikəri
Ei	egg eg
Eis	ice cream aiß_'kri:m
Eisbergsalat	iceberg lettuce 'aißbö:g 'letiß
Erbsen	peas pi:s
Erdbeeren	strawberries 'ßtro:bəris
Erdnüsse	peanuts 'pi:natß
Essig	vinegar 'vinigə
Estragon	tarragon 'tärəgən
Fisch	fish fisch
Fleisch	meat mi:t
Geflügel	poultry 'poultri
Gemüse	vegetables 'vedschtəbls
Gewürze	spices 'ßpaißis
Grieß	semolina ßemə'li:nə
Gurke (Salatgurke)	cucumber 'kju:kambə
Gurken, eingelegte	pickled cucumbers 'pikld 'kju:kambəs
Hackfleisch	minced meat minßt 'mi:t
Haferflocken	porridge oats 'poridsch outß
Hähnchen	chicken 'tschikin
Himbeeren	raspberries 'ra:sbəris
Honig	honey 'hani
Joghurt	yoghurt 'jogət
Kaffee	coffee 'kofi
Kaffeesahne	coffee creamer 'kofi kri:mə
Kakao	cocoa 'koukou
Kalbfleisch	veal vi:l
Kartoffeln	potatoes pə'täjtous
Käse	cheese tschi:s
Kekse	biscuits 'bißkitß
Ketchup	ketchup 'ketschap
Kirschen	cherries 'tscheris

Kiwi	kiwi 'kiːwiː
Knoblauch	garlic 'gaːlik
Kohl	cabbage 'käbid<u>sch</u>
Konserven	tinned foods tind 'fuːds
Konservierungsstoffe, ohne	without preservatives wið'aut pri'söːvətivs
Kotelett *(Kalb)*	cutlet 'katlət
Kotelett *(Schwein, Lamm)*	chop tschop
Kräuter	herbs höːbs
Kräutertee	herbal tea höːbl 'tiː
Kuchen	cake käjk
Lammfleisch	lamb läm
Lauch	leek liːk
Leberpastete	liver pâté 'livə 'pätäj
Limonade	lemonade lemə'näjd
Mais	sweetcorn 'ßwiːtkoːn
Margarine	margarine maːd<u>sch</u>ə'riːn
Marmelade	jam d<u>sch</u>äm
Mayonnaise	mayonnaise mäjə'näjs
Melone	melon 'melən
Milch	milk milk
Milch, fettarme	semi-skimmed milk 'ßemißkimd 'milk
Mineralwasser *mit / ohne* Kohlensäure	*sparkling / still* mineral water 'ßpaːkling / 'ßtil 'minərəl 'woːtə
Möhren	carrots 'kärətß
Müsli	muesli 'mjuːsli
Nektarine	nectarine 'nektəriːn
Nudeln	pasta 'päßtə
Nüsse	nuts natß
Obst	fruit fruːt
Öl	oil ojl
Oliven	olives 'olivs
Olivenöl	olive oil 'oliv ojl

110

Ölsardinen	tinned sardines
	tind ßa:'di:ns
Orange	orange 'orəndsch
Orangenmarmelade	marmalade 'ma:məläjd
Orangensaft	orange juice
	'orəndsch dschu:ß
Oregano	oregano o:ri'ga:nou
Paprika (Gewürz)	paprika 'päprikə
Paprikaschote	pepper 'pepə
Peperoni	chilli 'tschili
Petersilie	parsley 'pa:ßli
Pfeffer	pepper 'pepə
Pfirsich	peach pi:tsch
Pflaumen	plums plams
Pilze	mushrooms 'maschrums
Reis	rice raiß
Rindfleisch	beef bi:f
Rosmarin	rosemary 'rousməri
Rotwein	red wine red 'wain
Saft	juice dschu:ß
Sahne	cream kri:m
Salami	salami ßə'la:mi
Salat	lettuce 'letiß
Salz	salt ßo:lt
Schinken	ham häm
Schinken, gekochter	boiled ham bojld 'häm
Schinken, roher	raw ham ro: 'häm
Schnittlauch	chives pl tschaivs
Schnitzel	escalope 'eßkəlop
Schokolade	chocolate 'tschoklət
Schwarzbrot	rye bread rai 'bred
Schweinefleisch	pork po:k
Spargel	asparagus ə'ßpärəgəß
Spinat	spinach 'ßpinitsch
Steak	steak ßtäjk

Süßstoff	**sweetener** 'ßwiːtnə
Tee	**tea** tiː
Teebeutel	**teabag** 'tiːbäg
Thunfisch	**tuna** 'tjuːnə
Tomate	**tomato** təˈmaːtou
Vollkornbrot	**wholemeal bread** 'houlmiːl bred

info Wahrscheinlich werden Sie Ihr gewohntes Vollkornbrot im Supermarkt oder in der Bäckerei nicht finden. Auch die sogenannten **Wholemeal**-Brotsorten haben meist nicht die nötige Schwere. Echtes Vollkornbrot finden Sie in Delikatessenläden sowie in der Lebensmittelabteilung bei „Marks & Spencer", eventuell auch in besseren Supermärkten wie „Sainsbury", „Waitrose" oder „Tesco", oder im Reformhäusern und Naturkostläden.

Wassermelone	**watermelon** 'woːtəmelən
Wein	**wine** wain
Weintrauben	**grapes** gräjpß
Weißbrot	**white bread** wait 'bred
Weißwein	**white wine** wait 'wain
Wurst(aufschnltt)	**cold cuts** pl 'kould katß
Würstchen	**sausages** 'ßoßidschis
Zitrone	**lemon** 'lemən
Zucchini	**courgettes** kɔːˈschetß
Zucker	**sugar** 'schugə
Zwiebel	**onion** 'anjən

info Viele Supermärkte haben **self service**-Kassen, an denen man seine Produkte über einen Scanner zieht. Man bezahlt dann mit Bargeld oder Kreditkarte.

Souvenirs

Ich möchte …	I'd like … aid 'laik …
– ein hübsches Andenken.	– a nice souvenir. ə 'naiß ßu:və'niə.
– ein Geschenk.	– a present. ə 'presnt.
– etwas Typisches aus dieser Gegend.	– something typical of the region. ßamθing 'tipikl_əv ðə 'ri:dschən.
Ist das Handarbeit?	Is this handmade? is 'ðiß händ'mäjd?
Ist das *antik / echt*?	Is this *antique / genuine*? is 'ðiß än'ti:k / 'dschenjuin?

Souvenirs: weitere Wörter

Antiquität	antique än'ti:k
Becher	mug maɡ
Decke	blanket 'blänkit
echt	real riəl
Geschirr	cutlery 'katləri
Gürtel	belt belt
Handarbeit	handmade händ'mäjd
Handtasche	handbag 'händbäɡ
Keramik	ceramics pl ßə'rämikß
Kunsthandwerk	arts and crafts a:tß_ən 'kra:ftß
Leder	leather 'leðə
Porzellan	china 'tschainə
Schmuck	jewellery 'dschu:əlri
Silber	silverware 'ßilvəweə
Teekanne	teapot 'ti:pot
Teeservice	tea service 'ti: ßö:viß
Zertifikat	certificate ßə'tifikət

Kleidung

Kleidung kaufen

Ich suche …	I'm looking for … aim 'luking fə …
What size are you?	Welche Größe haben Sie?
Ich habe (die deutsche) Größe …	I'm (continental) size … aim (konti'nentl) 'ßais …

info Die deutschen und amerikanischen Größen sind häufig auch auf dem Etikett angegeben. In England entspricht Größe 10 ungefähr der deutschen Größe 36; die englische Größe 12 der deutschen 38 usw.

🔵 Haben Sie das auch in Größe …?
Do you have it in a size …? du_ju häv_it_in_ə 'ßais …?

🔵 Haben Sie das auch in einer anderen Farbe?
Do you have it in a different colour? du_ju häv_it_in_ə 'difrənt 'kalə?

▶ *Farben*, Seite 116

🔵 Kann ich das anprobieren?
Could I try this on? kud_ai 'trai ðiß_'on?

Wo ist ein Spiegel?
Where is there a mirror? 'weər_is ðər_ə 'mirə?

🔵 Wo sind die Umkleidekabinen?
Where are the fitting rooms? 'weər_ə ðə 'fiting ru:ms?

🔵 Welches Material ist das?
What material is this? wot mə'tiəriəl is 'ðiß?

Es steht mir nicht.
It doesn't suit me. it dasnt 'ßu:t mi.

Das passt mir nicht. | It doesn't fit me. it dasnt 'fit mi.

Das ist mir zu *groß*/*klein*. | It's too *big*/*small*. itß 'tu: 'big/'ßmo:l.

Das passt gut. | It fits nicely. it 'fitß 'naißli.

Reinigung

Ich möchte das reinigen lassen. | I'd like this dry-cleaned. aid 'laik ðiß drai'kli:nd.

Können Sie diesen Fleck entfernen? | Could you remove this stain? kud_ju ri'mu:v ðiß 'ßtäjn?

Wann kann ich es abholen? | When can I pick it up? 'wen kən_ai pik_it_'ap?

115

Stoffe und Materialien

Baumwolle	cotton 'kotn
Fleece	fleece fli:ß
Kamelhaar	camelhair 'kämlheə
Kaschmir	cashmere 'käschmiə
Leder	leather 'leðə
Leinen	linen 'linən
Mikrofaser	microfibre 'maikroufaibə
Naturfaser	natural fibre nätschrəl 'faibə
Schafwolle	lambswool 'lämswul
Schurwolle, reine	pure new wool 'pjuə 'nju: 'wul
Seide	silk ßilk
Synthetik	man-made fibre 'mänmäjd 'faibə
Wildleder	suede ßwäjd
Wolle	wool wul

Farben

beige	beige bäjsch
blau	blue blu:
braun	brown braun
bunt	colourful 'kaləfl
dunkelblau	navy blue 'näjvi blu:
dunkelrot	burgundy 'bö:gəndi
einfarbig	plain-coloured pläjn'kaləd
gelb	yellow 'jelou
golden	golden 'gouldən
grau	grey gräj
grün	green gri:n
hellblau	light blue lait 'blu:
lila	purple 'pö:pl
pink	shocking pink 'schoking 'pink
rosa	pink pink

116

rot	red red
schwarz	black bläk
silbern	silver 'ßilvə
türkis	turquoise 'tö:kwojs
weiß	white wait

Kleidung kaufen: weitere Wörter

Abendkleid	evening dress 'i:vning dreß
Anorak	anorak 'änəräk
Anzug	suit ßu:t
Ärmel, kurze	short sleeves scho:t 'ßli:vs
Ärmel, lange	long sleeves long 'ßli:vs
Badeanzug	swimming costume 'ßwiming koßtju:m
Badehose	swimming trunks pl 'ßwiming trankß
Bademantel	dressing gown 'dreßing gaun
BH	bra bra:
Bikini	bikini bi'ki:ni
Blazer	blazer 'bläjsə
Bluse	blouse blaus
bügelfrei	non-iron non'aiən
Druckknopf	press stud 'preß ßtad
Gürtel	belt belt
Halstuch	scarf ßka:f
Halstuch (für Herren)	cravat krə'vät
Handschuhe	gloves glavs
Hemd	shirt schö:t
Hose	trousers pl 'trausəs
Hut	hat hät
Jacke	jacket 'dschäkit
Jeans	jeans pl dschi:ns
Jogginganzug	tracksuit 'träkßu:t

Jogginghose	tracksuit trousers pl 'träkßu:t trausəs
Kapuze	hood hud
Kleid	dress dreß
Knopf	button 'batn
Kostüm	suit ßu:t
Krawatte	tie tai
kurz	short scho:t
lang	long long
Leggins	leggings 'legings
Mantel	coat kout
Mütze	hat hät
Nachthemd	nightdress 'naitdreß
Pullover	jumper 'dschampə
Regenjacke, Regen-mantel	raincoat 'räjnkout
Reißverschluss	zip zip
Rock	skirt ßkö:t
Sakko	sports jacket 'ßpo:tß dschäkit
Schal	scarf ßka:f
Schlafanzug	pyjamas pl pə'dscha:məs
Shorts	shorts scho:tß
Slip (für Damen)	knickers pl 'nikəs
Slip (für Herren)	underpants pl 'andəpäntß
Socken	socks ßokß
Sonnenhut	sunhat 'ßanhät
Strümpfe	stockings 'ßtokings
Strumpfhose	tights pl taitß
T-Shirt	T-shirt 'ti:schö:t
Unterhemd	vest veßt
Unterwäsche	underwear 'andəweə
Weste	waistcoat 'wäjßtkout

Schuhgeschäft

Ich möchte ein Paar … | I'd like a pair of …
aid 'laik‿ə 'peər‿əv …

What size of shoes do you take? | Welche Schuhgröße haben Sie?

Ich habe Schuh-größe … | I take size … ai 'täjk ßais …

info Die kontinentalen Schuhgrößen werden auch verstanden und stehen meistens auch auf den Schuhen. Falls nicht, so können Sie umrechnen: Schuhgröße 36 beispielsweise entspricht der britischen 3, die 37 der 4, die 38 der 5 … Die kontinentale 43 ist dann die 9, die 44 die 10 usw.

Der Absatz ist zu hoch / niedrig. | The heels are too *high / low* for me.
ðə 'hi:ls‿ə 'tu: *'hai / 'lou* fə mi:.

Sie sind zu groß / klein. | They're too *big / small*.
ðeə 'tu: *'big / 'ßmo:l*.

Sie drücken hier. | They're tight around here.
ðeə 'tait ə'raund 'hiə?

Bitte erneuern Sie die Absätze / Sohlen. | I'd like these shoes *reheeled / resoled*. aid 'laik ði:s 'schu:s *ri:'hi:ld / ri:'ßould*.

Schuhgeschäft: weitere Wörter

Badeschuhe	flip-flops 'flipflopß
Bergschuhe	climbing boots 'klaiming bu:tß
Einlegesohlen	insoles 'inßouls
eng	tight tait
Gummistiefel	Wellington boots 'welingtən bu:tß
Leder	leather 'leðə
Ledersohle	leather sole 'leðə ßoul
Pumps	court shoes 'ko:t schu:s
Sandalen	sandals 'ßändls
Schnürsenkel	shoelaces 'schu:läjßis
Schuhcreme	shoe polish 'schu: polisch
Schuhe	shoes schu:s
Stiefel	boots bu:tß
Turnschuhe	trainers träjnəs
Wanderschuhe	walking shoes 'wo:king schu:s
Wildleder	suede ßwäjd

Uhren und Schmuck

Meine Uhr geht *vor / nach*.	My watch is *fast / slow*. mai 'wotsch_is 'fa:ßt / 'ßlou.
🔴 Ich brauche eine neue Batterie für die Uhr.	I need a new battery for my watch. ai 'ni:d_ə nju: 'bätəri fə mai 'watsch.
🔴 Ich suche ein hübsches *Andenken / Geschenk*.	I'm looking for a nice *souvenir / present*. aim 'luking fər_ə 'naiß ßu:və'niə / 'presnt.
How much are you thinking of spending?	Wie viel darf es denn kosten?
🔴 Woraus ist das?	What's this made of? 'wotß ðiß 'mäjd_əv?

120

Uhren und Schmuck: weitere Wörter

Anhänger	pendant 'pendənt
Armband	bracelet 'bräjßlət
Brosche	brooch broutsch
Diamant	diamond 'daiəmənd
Gold	gold gould
Karat	carat 'kärət
Kette	necklace 'nekləß
Modeschmuck	costume jewellery 'koßtju:m 'dschu:əlri
Ohrklipse	clip-on earrings 'klipon 'iərings
Ohrringe	earrings 'iərings
Perle	pearl pö:l
Platin	platinum 'plätinəm
Ring	ring ring
Schmuck	jewellery 'dschu:əlri
Silber	silver 'ßilvə
Uhr	watch wotsch
Uhrarmband	watchstrap 'wotschßträp
vergoldet	gold-plated gould'pläjtid
Wecker	alarm ə'la:m

Körperpflege

allergiegetestet	allergy-tested 'älədschiteßtid
Binden (Damenbinden)	sanitary towels 'ßänətri tauəls
Bürste	brush brasch
Deo	deodorant di:'oudərənt
Duschgel	shower gel 'schauə dschel
Haargummi	(elastic) hairband (i'läßtik) 'heəbänd
Haarspray	hairspray 'heəßpräj
Handcreme	handcream 'händkri:m
Kamm	comb koum

121

Kondome	condoms 'kondəms
Körperlotion	body lotion 'bodi louschn
Kosmetiktücher	tissues 'tischu:s
Lichtschutzfaktor	sun protection factor 'ßan prə'tekschn 'fäktə
Lidschatten	eye shadow 'ai schädou
Lippenpflegestift	lip salve 'lip ßälv
Lippenstift	lipstick 'lipßtik
Mückenschutz	mosquito repellent mə'ßki:tou ri'pelənt
Nachtcreme	night cream 'nait kri:m
Nagelbürste	nailbrush 'näjlbrasch
Nagelfeile	nail file 'näjl fail
Nagellack	nail varnish 'näjl va:nisch
Nagellackentferner	nail varnish remover 'näjl va:nisch ri'mu:və
Nagelschere	nail scissors pl 'näjl ßisəs
Papiertaschentücher	tissues 'tischu:s
Parfüm	perfume 'pö:fju:m
parfümfrei	fragrance-free 'fräjgrənß'fri:
Pflaster	plaster 'pla:ßtə
Pinzette	tweezers pl 'twi:səs
Rasierklinge	razor blade 'räjsə bläjd
Rasierschaum	shaving foam 'schäjving foum
Reinigungsmilch	cleansing milk 'klensing milk
Schaumfestiger	mousse mu:ß
Seife	soap ßoup
Shampoo	shampoo schäm'pu:
Sonnencreme	sun cream 'ßan kri:m
Sonnenmilch	sun milk 'ßan milk
Spiegel	mirror 'mirə
Tagescreme	day creme 'däj kri:m
Tampons	tampons 'tämpons
Toilettenpapier	toilet paper 'tojlət päjpə
Waschlappen	flannel 'flänl

Waschmittel	detergent di'tö:d<u>sch</u>ənt
Watte	cotton wool 'kotn wul
Wattestäbchen	cotton buds 'kotn bads
Wimperntusche	mascara mä'ßka:rə
Zahnbürste	toothbrush 'tu:θbrasch
Zahnpasta	toothpaste 'tu:θpäjßt
Zahnseide	dental floss dentl 'floß
Zahnstocher	toothpicks 'tu:θpikß

Haushalt

Alufolie	tinfoil 'tinfojl
Besen	broom bru:m
Dosenöffner	tin opener 'tin oupənə
Eimer	bucket 'bakit
Feuerzeug	lighter 'laitə
Flaschenöffner	bottle opener 'botl oupənə
Fleckentferner	stain remover 'ßtäjn ri'mu:və
Frischhaltefolie	cling film 'kling film
Gabel	fork fo:k
Glas	glass gla:ß
Glühbirne, Glühlampe	light bulb 'lait balb
Grillanzünder	grill lighter 'gril_laitə
Grillkohle	charcoal 'tscha:koul
Insektenspray	insect spray 'inßekt ßpräj
Kerzen	candles 'kändls
Korkenzieher	corkscrew 'ko:kßkru:
Küchenrolle	kitchen paper 'kitschən päjpə
Kühltasche	ice box 'aiß bokß
Löffel	spoon ßpu:n
Messer	knife naif
Moskitospirale	mosquito coil mə'ßki:tou kojl
Nähgarn	sewing thread 'ßouing θred
Nähnadel	sewing needle 'ßouing ni:dl

Pfanne	frying pan 'fraiing pän
Plastikbecher	plastic cup pläßtik 'kap
Plastikbesteck	plastic cutlery pläßtik 'katləri
Plastikteller	plastic plate pläßtik 'pläjt
Reinigungsmittel	cleaning materials 'kli:ning mə'tiəriəls
Schere	scissors pl 'ßisəs
Servietten	napkins 'näpkins
Sicherheitsnadel	safety pin 'ßäjfti pin
Spülmittel	detergent di'tö:dschənt
Spültuch	dishcloth 'dischkloθ
Streichhölzer	matches 'mätschis
Taschenmesser	pocket knife 'pokit naif
Tasse	cup kap
Teller	plate pläjt
Thermosflasche	thermos flask 'θö:məß fla:ßk
Topf	saucepan 'ßo:ßpən
Wäscheklammern	clothes pegs 'klouðs pegs
Wäscheleine	washing line 'wosching lain
Waschpulver	soap powder 'ßoup paudə
Wasserkocher	kettle 'ketl
Wischlappen	cloth kloθ

Elektroartikel

Adapter	adapter ə'däptə
Batterie	battery 'bätəri
Föhn	hairdryer 'heədraiə
Rasierapparat	razor 'räjsə
Taschenlampe	torch to:tsch
Taschenrechner	pocket calculator 'pokit 'kälkjəläjtə
Tauchsieder	immersion heater i'mö:schn 'hi:tə
Verlängerungsschnur	extension lead ik'ßtenschn li:d
Wecker	alarm clock ə'la:m klok

Optiker

Meine Brille ist kaputt.
My glasses are broken.
mai 'gla:ßis‿ə 'broukən.

Können Sie das reparieren?
Can you repair this?
kən‿ju ri'peə ðiß?

Ich hätte gerne Eintageslinsen.
I'd like some one-day lenses.
aid 'laik ßəm 'wandäj 'lensis.

Ich bin *kurzsichtig / weitsichtig*.
I'm *short-sighted / long-sighted*. aim *scho:t'ßaitid / long'ßaitid*.

What's your prescription?
Wie viel Dioptrien haben Sie?

Ich habe links … Dioptrien und rechts … Dioptrien.
I've got … dioptres in the left eye and … dioptres in the right. aiv got … dai'optəs‿in ðə 'left ai‿ənd … dai'optəs in ðə 'rait.

Ich habe eine Kontaktlinse *verloren / kaputt gemacht*.
I've *lost / broken* a contact lens. aiv *'loßt / 'broukən*‿ə 'kontäkt lens.

Ich brauche Aufbewahrungslösung für *harte / weiche* Kontaktlinsen.
I need some soaking solution for *hard / soft* contact lenses. ai 'ni:d ßəm 'ßouking ßə'lu:schn fə *'ha:d / 'ßoft* 'kontäkt 'lensis.

Ich brauche Reinigungslösung für *harte / weiche* Kontaktlinsen.
I need some cleaning solution for *hard / soft* contact lenses. ai 'ni:d ßəm 'kli:ning ßə'lu:schn fə *'ha:d / 'ßoft* 'kontäkt 'lensis.

Ich möchte eine Sonnenbrille.
I'd like a pair of sunglasses.
aid 'laik‿ə 'peər‿əv 'ßangla:ßis.

125

Fotoartikel

🔵 Ich hätte gern …

I'd like … aid 'laik …

– eine Speicherkarte mit … MB / GB.

– a memory card with … mb / gb. ə 'meməri ka:d wið … em'bi: / dschi:'bi:

– einen Farbnegativ-film.

– a colour film. ə 'kalə film.

– einen Diafilm.

– a slide film. ə 'ßlaid film.

– einen Film mit 24 / 36 Aufnahmen.

– a 24 / 36-exposure film. ə twenti'fo: / θö:ti'ßikß ik'ßpouschə 'film.

– einen Film mit … ASA.

– a …-ASA film. ə … äjeß'äj film.

🔵 Ich hätte gerne Batterien für diesen Apparat.

I'd like some batteries for this camera. aid 'laik ßəm 'bätəris fə‿ðiß 'kämrə.

Ich möchte diesen Film entwickeln lassen.

I'd like to get this film developed. aid 'laik tə 'get ðiß 'film di'veləpt.

Wann sind die Bilder fertig?

When will the prints be ready? 'wen wil ðə 'printß bi 'redi?

Können Sie meinen Fotoapparat reparieren?

Can you repair my camera? kən‿ju ri'peə mai 'kämrə?

Er transportiert nicht.

It won't wind on. it 'wount waind‿'on.

Der Auslöser / Das Blitz-licht funktioniert nicht.

The shutter release / The flash doesn't work. ðə 'schatə ri'li:ß / ðə 'fläsch dasnt 'wö:k.

Ich möchte gerne Pass-bilder machen lassen.

I'd like to have some passport photos done. aid 'laik tə häv ßəm 'pa:ßpo:t foutous 'dan.

126

Fotoartikel: weitere Wörter

Akkus	rechargeable batteries ri'tscha:dschəbl 'bätəris
Batterien	batteries 'bätəris
Belichtungsmesser	exposure meter ik'ßpouschə mi:tə
Bild	photo 'foutou
Blitz	flash fläsch
Camcorder	camcorder 'kämko:də
Digitalkamera	digital camera didschitəl 'kämrə
DVD	DVD di:vi:'di:
Empfindlichkeit	(film) speed ('film) ßpi:d
Filmkamera	film camera 'film kämrə
Filter	filter 'filtə
Fotoapparat	camera 'kämrə
Fototasche	camera bag 'kämrə bäg
Ladegerät	battery charger 'bätəri ' tscha:dschə
Negativ	negative 'negətiv
Objektiv	lens lens
Schwarz-Weiß-Film	black and white film bläk_ən wait 'film
Selbstauslöser	self-timer ßelf'taimə
Sonnenblende	lens hood 'lens hud
Speicherkarte	memory card 'meməri ka:d
Spiegelreflexkamera	SLR camera eßel'a: kämrə
Stativ	tripod 'traipod
Teleobjektiv	telephoto lens 'telifoutou 'lens
USB-Stick	USB memory stick ju:eßbi: 'meməri ßtik
UV-Filter	UV filter ju:'vi: filtə
Videokamera	video camera 'vidiou kämrə
Videokassette	video cassette 'vidiou kə'ßet
Weitwinkelobjektiv	wide-angle lens 'waidängl 'lens
Zoomobjektiv	zoom lens 'zu:m lens

Musik

🔵 Haben Sie *CDs / Kassetten* von …?
Do you have any *CDs / cassettes* by …? du_ju häv_eni *ßi:'di:s / kə'ßetß* bai …?

Ich hätte gerne eine CD mit traditioneller *schottischer / irischer* Musik.
I'd like a CD of traditional *Scottish / Irish* music. aid 'laik_ə ßi:'di:_əv trə'dischnəl *'ßkotisch / 'airisch* 'mju:sik.

Musik: weitere Wörter

CD	**CD** ßi:'di:
CD-Spieler, tragbarer	**portable CD player** 'po:təbl ßi:'di: pläjə
Kassette	**cassette** kə'ßet
Kopfhörer	**headphones** 'hedfouns
MP3-Spieler	**MP3 player** empi:'θri: pläjə
Musik	**music** 'mju:sik
Radio	**radio** 'räjdiou

Bücher und Schreibwaren

🔵 Ich hätte gerne …
I'd like … aid 'laik …

- eine (deutsche) Zeitung.
  - a (German) newspaper. ə ('dschö:mən) 'nju:späjpə.
- eine (deutsche) Zeitschrift.
  - a (German) magazine. ə ('dschö:mən) mägə'si:n.
- eine Karte der Umgebung.
  - a map of the area. ə 'mäp_əv ði_'eəriə.
- einen Stadtplan.
  - a map of the town. ə 'mäp_əv ðə 'taun.

Haben Sie auch eine neuere Zeitung?
Do you have a more recent paper? du_ju häv_ə mo: 'ri:ßnt 'päjpə?

Bücher und Zeitschriften

Illustrierte	magazine mägə'si:n
Kochbuch	cookery book 'kukəri buk
Krimi	detective novel di'tektiv 'novəl
Radtourenkarte	map of cycling routes 'mäp_əv 'ßaikling ru:tß
Reiseführer	guidebook 'gaidbuk
Roman	novel 'novəl
Straßenkarte	road map 'roud mäp
Wanderkarte	hiking map 'haiking mäp
Wörterbuch	dictionary 'dikschənri

Schreibwaren

Ansichtskarte	postcard 'pousßtka:d
Bleistift	pencil 'penßl
Briefpapier	writing paper 'raiting päjpə
Briefumschlag	envelope 'envəloup
Filzstift	felt tip 'felt_tip
Klebeband	adhesive tape əd'hi:siv 'täjp

Klebstoff	glue glu:
Kugelschreiber	ballpoint pen 'bo:lpojnt 'pen
Papier	paper 'päjpə
Radiergummi	rubber 'rabə
Schreibblock	writing pad 'raiting päd
Spielkarten	playing cards 'pläjing ka:ds
Spitzer	pencil sharpener 'penßl scha:pnə

Tabakwaren

🔊 Eine Schachtel Zigaretten *mit / ohne* Filter, bitte.

A packet of cigarettes *with / without* filters, please. ə 'päkit_əv ßigə'retß *wið / wið'aut* 'filtəs, pli:s.

Eine *Schachtel / Stange* ..., bitte.

A *packet / carton* of ..., please. ə *'päkit / 'ka:tn_əv* ..., pli:s.

Sind diese Zigaretten *stark / leicht*?

Are these cigarettes *strong / mild*? a: ði:s ßigə'retß *'ßtrong / 'maild*?

🔊 Ein Päckchen *Pfeifentabak / Zigarettentabak*, bitte.

A packet of *pipe / cigarette* tobacco, please. ə 'päkit_əv *'paip / ßigə'ret* tə'bäkou, pli:s.

🔊 *Ein Feuerzeug / Einmal Streichhölzer*, bitte.

Could I have a *lighter / box of matches*, please? kud_ai häv_ə *'laitə / 'bokß_əv 'mätschis*, pli:s?

Tabakwaren: weitere Wörter

Pfeife	pipe paip
Pfeifenreiniger	pipe cleaner 'paip kli:nə
Zigarillos	cigarillos ßigə'rilous
Zigarren	cigars ßi'ga:s

Sport und Entspannung

Ich möchte einen Liegestuhl ausleihen.
I'd like to hire a deckchair.

Ich möchte ein Fahrrad mieten.
I'd like to hire a bicycle.

Erholungsurlaub

Strand und Schwimmbad

 Wo geht es zum Strand?
How do we get to the beach?
'hau du_wi 'get tə_ðə 'bi:tsch?

 Darf man hier baden?
Is swimming permitted here?
is 'ßwiming pə'mitid hiə?

Gibt es hier (starke) Strömungen?
Are there (strong) currents around here? a: ðeə ('ßtrong) 'karəntß ə'raund 'hiə?

Wann ist *Ebbe / Flut*?
When is *low / high* tide?
'wen is *'lou / 'hai* 'taid?

Gibt es hier Quallen?
Are there jellyfish around here?
a: ðeə '<u>dsch</u>elifisch ə'raund 'hiə?

 Ich möchte … ausleihen.
I'd like to hire …
aid 'laik tə 'haiə …

– einen Liegestuhl
– a deckchair. ə 'dektscheə.

– einen Sonnenschirm
– an umbrella. ən_am'brelə.

– ein Boot
– a boat. ə 'bout.

Ich möchte einen *Tauchkurs / Windsurfkurs* machen.
I'd like to do a *diving / windsurfing* course. aid 'laik tə du_ə *'daiving / 'windßö:fing* ko:ß.

Kann man mit einem Fischerboot mitfahren?
Can one go out on a fishing boat?
kən wan gou 'aut_on_ə 'fisching bout?

Wie viel kostet es pro *Stunde / Tag*?
How much is it per *hour / day*?
hau 'matsch_is_it pə *'auə / 'däj*?

 Wo ist *der Bademeister / die Erste-Hilfe-Station*?
Where's the *pool attendant / first aid room*? 'weəs_ðə *'pu:l ə'tendənt / fö:ßt 'äjd ru:m*?

Sport und Entspannung

Würden Sie bitte kurz auf meine Sachen aufpassen?

Would you mind keeping an eye on my things for a moment, please? wud ju 'maind 'ki:ping ən_'ai_on mai 'θings fər_ə 'moumənt, pli:s?

Gibt es hier ein Freibad / Hallenbad?

Is there an open air / a covered swimming pool here? is ðər ən_oupən_'eə / ə 'kavəd 'ßwiming pu:l hiə?

Welche Münzen brauche ich für das Schließfach / den Haartrockner?

What coins do I need for the lockers / hairdryers? wot 'kojns du_ai 'ni:d fə_ðə 'lokəs / 'heədraiəs?

Ich möchte … ausleihen / kaufen.

I'd like to hire / buy … aid 'laik tə 'haiə / 'bai …

– eine Badekappe
– eine Schwimmbrille

– ein Handtuch

– a swimming cap. ə 'ßwiming käp.
– (some) swimming goggles. (ßəm) 'ßwiming gogls.
– a towel. ə 'tauəl.

Strand und Schwimmbad: weitere Wörter

baden	to swim ßwim
Bootsverleih	boat hire 'bout haiə
Dusche	shower 'schauə
Ebbe	low tide lou 'taid
fischen	to fish fisch
FKK-Strand	nudist beach 'nju:dißt bi:tsch
Flut	high tide hai 'taid
Luftmatratze	air mattress 'eə mätrəß
Meer	sea ßi:
Motorboot	motorboat 'moutəbout
Motorscooter	moped 'mouped
Muscheln	shells schels
Nichtschwimmer	non-swimmers non'ßwiməs
Rettungsring	lifebelt 'laifbelt
Ruderboot	rowing boat 'rouing bout
Sand	sand ßänd
Sandstrand	sandy beach ßändi 'bi:tsch

Schatten	shade schäjd
Schlauchboot	dinghy 'dingi
Schnorchel	snorkel 'ßno:kl
Schwimmbad	swimming pool 'ßwiming pu:l
schwimmen	to swim ßwim
Schwimmflossen	flippers 'flipəs
Schwimmflügel	water wings 'wo:tə wings
See *(Binnengewässer)*	lake läjk
Seeigel	sea urchin ßi: 'ö:tschin
Segelboot	sailing boat 'ßailing bout
segeln	to sail ßäjl
Sonne	sun ßan
Sonnenbrille	sunglasses pl 'ßangla:ßis
Sonnencreme	sunscreen 'ßanßkri:n
Spielwiese	playing field 'pläjing fi:ld
Sprungbrett	diving board 'daiving bo:d
Strand	beach bi:tsch
Strandbad	swimming area 'ßwiming eəriə
Strandkorb	beach chair 'bi:tsch tscheə
Sturmwarnung	gale warning 'gäjl wo:ning
Surfbrett	surfboard 'ßö:fbo:d
tauchen	to dive daiv
Taucheranzug	wetsuit 'wetßu:t
Taucherausrüstung	diving equipment 'daiving i'kwipmənt
Taucherbrille	diving goggles 'daiving gogls
Tretboot	pedalo 'pedəlou
Umkleidekabine	changing cubicle 'tschäjndsching kju:bikl
Wasser	water 'wo:tə
Wasserball	beach ball 'bi:tsch bo:l
Wasserski	water ski 'wo:tə ßki:
Welle	wave wäjv
Wellenbad	wave pool 'wäjv pu:l

Ballspiele und weitere Spiele

Darf ich mitspielen?

Do you mind if I join in?
du_ju 'maind_if_ai dschojn_'in?

Wir hätten gern einen Squashcourt für eine (halbe) Stunde.

We'd like to hire a squash court for (half) an hour. wi:d 'laik tə 'haiər_ə 'ßkwosch ko:t fə ('ha:f)_ən_'auə.

 Wir hätten gern einen Tennisplatz / Badmintonplatz für eine Stunde.

We'd like to hire a *tennis / badminton* court for an hour. wi:d 'laik tə 'haiər_ə *'teniß / 'bädmintən* ko:t fər_ən_'auə.

Wo kann man hier *Bowling / Billard* spielen?

Where can you *go bowling / play billiards* here? 'weə kən_ju *gou 'bouling / pläj 'biljəds* hiə?

Ich möchte … ausleihen.

I'd like to hire … aid 'laik tə 'haiə …

Spiele: weitere Wörter

Badminton	badminton 'bädmintən
Ball	ball bo:l
Basketball	basketball 'ba:ßkitbo:l
Beach-Volleyball	beach volleyball 'bi:tsch 'volibo:l
Doppel	double 'dabl

Einzel	single 'ßingl
Federball *(Ball)*	shuttlecock 'schatlkok
Federball *(Spiel)*	badminton 'bädmintən
Federballschläger	badminton racket 'bädmintən räkit
Fußball *(Ball)*	football 'futbo:l
Fußballplatz	football pitch 'futbo:l pitsch
Fußballspiel	football match 'futbo:l mätsch
gewinnen	to win win
Golf	golf golf
Golfball	golf ball 'golf bo:l
Golfplatz	golf course 'golf ko:ß
Golfschläger	golf club 'golf klab
Handball	handball 'händbo:l
Kegelbahn	bowling alley 'bouling_äli
kegeln	to bowl boul
Mannschaft	team ti:m
Minigolfplatz	crazy golf course 'kräjsi golf ko:ß
Schiedsrichter	referee refə'ri:
Schiedsrichter *(Tennis)*	umpire 'ampaiə
Sieg	victory 'viktəri
Spiel	game gäjm
spielen	to play pläj
Squash	squash ßkwosch
Squashball	squash ball 'ßkwosch bo:l
Squashschläger	squash racket 'ßkwosch räkit
Tennis	tennis 'teniß
Tennisball	tennis ball 'teniß bo:l
Tennisschläger	tennis racket 'teniß räkit
Tischtennis	table tennis 'täjbl teniß
Tor	goal goul
Torwart	goalkeeper 'goulki:pə
unentschieden	(a) draw (ə) 'dro:
verlieren	to lose lu:s
Volleyball	volleyball 'volibo:l

Schlechtwetteraktivitäten

🔊 Haben Sie *Spielkarten / Gesellschaftsspiele?*

Do you have any *playing cards / parlour games?* du_ju häv_eni 'pläjing ka:ds / 'pa:lə gäjms?

🔊 Spielen Sie Schach?

Do you play chess? du_ju pläj 'tscheß?

Können Sie uns ein Schachspiel ausleihen?

Could you lend us a chess board? kud_ju 'lend aß_ə 'tscheß bo:d?

Gibt es hier *eine Sauna / ein Fitnessstudio?*

Is there a *sauna / fitness studio* here? is ðər_ə 'ßo:nə / 'fitnəß 'ßtju:diou 'hiə?

Bieten Sie auch *Aerobicstunden / Gymnastikstunden* an?

Do you offer *aerobics / exercise* classes as well? du_ju 'ofə eə'roubikß / 'ekßəßais 'kla:ßis_əs 'wel?

▶ Hallenbad: *Strand und Schwimmbad,* Seite 132
▶ Museen: *Besichtigungen, Ausflüge,* Seite 152
▶ Kino: *Kulturveranstaltungen,* Seite 158
▶ *Internet-Café,* Seite 73

Aktivurlaub

Wandern und Trekking

Ich möchte *nach / auf* den ...

I'd like to *go to / climb* ...
aid 'laik tə 'gou tə / 'klaim ...

 Können Sie mir eine *leichte / mittelschwere* Tour empfehlen?

Can you recommend *an easy / a moderately difficult* tour? kən_ju rekə'mend_ən_'i:si / ə_'modərətli 'difikəlt 'tuə?

Wie lange dauert sie ungefähr?

How long will it take approximately? 'hau 'long wil_it 'täjk ə'prokßimətli?

 Ist der Weg gut *markiert / gesichert*?

Is the route *well marked / safe for walking*? is ðə 'ru:t wel 'ma:kt / 'ßäjf fə 'wo:king?

Kann man unterwegs einkehren?

Is there anywhere to eat en route? is ðər_'eniweə tu_'i:t on 'ru:t?

 Kann ich in diesen Schuhen gehen?

Can I go in these shoes? kən_ai 'yʊu in 'ði:s 'schu:s?

 Gibt es geführte Touren?

Are there guided walks? a: ðeə 'gaidid 'wo:kß?

 Um wie viel Uhr fährt die letzte Bahn hinunter?

What time's the last train down? wot_'taims ðə 'la:ßt träjn 'daun?

 Sind wir hier auf dem richtigen Weg nach ...?

Is this the right way to ...? is 'ðiß ðə 'rait 'wäj tə ...?

 Wie weit ist es noch bis ...?

How far is it to ...? hau 'fa:r_is_it tə ...?

Wandern und Trekking: weitere Wörter

Berg	mountain 'mauntin
Bergführer	mountain guide 'mauntin gaid
Bergschuhe	climbing boots 'klaiming bu:tß
Bergsteigen	mountain climbing 'mauntin klaiming
Bergwacht	mountain rescue service mauntin 'reßkju: ßö:viß
Brücke	bridge bri<u>dsch</u>
Fluss	river 'rivə
Gebirge	mountains 'mauntins
Gipfel	summit 'ßamit
Hütte	hut hat
joggen	to jog <u>dsch</u>og
Jogging	jogging '<u>dsch</u>oging
klettern	to climb klaim
Proviant	food fu:d
Schlucht	ravine rə'vi:n
Schutzhütte	shelter 'scheltə
schwindelfrei sein	to have a good head for heights häv_ə 'gud 'hed fə 'haitß
Seil	rope roup
Seilbahn	cable railway 'käjbl räjlwäj
Sessellift	chair lift 'tscheə lift
Steigeisen	crampon 'krämpon
Tal	valley 'väli
Wanderkarte	walkers' map 'wo:kəs mäp
wandern	to hike haik
Wanderschuhe	walking shoes 'wo:king schu:s
Wanderstöcke	walking sticks 'wo:king ßtikß
Wanderweg	hiking trail 'haiking träjl
Weg	path pa:θ

Rad fahren

Ich möchte ein *Fahrrad/Mountainbike* mieten.

I'd like to hire a *bicycle/mountain bike*. aid 'laik tə 'haiər_ə *'baißikl/'mauntin baik*.

Ich hätte gern ein Fahrrad mit ... Gängen.

I'd like a bike with ... gears. aid 'laik_ə 'baik wið ... 'giəs.

Haben Sie auch ein Fahrrad mit Rücktritt?

Do you have a bicycle with a backpedal brake? du_ju häv_ə 'baißikl wið_ə 'bäkpedl 'bräjk?

Ich möchte es für ... mieten.

I'd like to hire it for ... aid 'laik tə 'haiər_it fə ...

– einen Tag
– zwei Tage
– eine Woche

– one day. 'wan 'däj.
– two days. 'tu: 'däjs.
– a week. ə 'wi:k.

Können Sie mir die Sattelhöhe einstellen?

Could you adjust the saddle for me? kud_ju_ə'dschaßt ðə 'ßädl fə mi:?

Bitte geben Sie mir auch einen Fahrradhelm.

Please could you give me a bike helmet as well? 'pli:s kud_ju 'giv mi_ə 'baik helmət əs 'wel?

Haben Sie eine Radtourenkarte?

Do you have a cycle map? du_ju häv_ə 'ßaikl mäp?

141

Rad fahren: weitere Wörter

Dynamo	dynamo 'dainəmou
fahren *(mit dem Fahrrad)*	to ride raid
Fahrradflickzeug	bicycle repair kit 'baißikl ri'peə kit
Fahrradkorb	bike basket 'baik ba:ßkit
Handbremse	hand brake 'händ bräjk
Kinderfahrrad	child's bicycle 'tschailds 'baißikl
Kindersitz	child seat 'tschaild ßi:t
Licht	light lait
Luftpumpe	pump pamp
Radweg	cycle path 'ßaikl pa:θ
Reifen	tyre 'taiə
Reifendruck	tyre pressure 'taiə preschə
Rücklicht	back light 'bäk lait
Sattel	saddle 'ßädl
Satteltaschen	saddlebags 'ßädlbägs
Schlauch	inner tube inə 'tju:b
Ventil	valve välv
Vorderlicht	front light 'frant lait

Adventure-Sports

Ballonfliegen	ballooning bə'lu:ning
Bungee-Jumping	bungee jumping 'bandschi dschamping
Drachenfliegen	hang-gliding 'häng_glaiding
Fallschirmspringen	parachute jumping 'pärəschu:t dschamping
Freeclimbing	free climbing 'fri: klaiming
Gleitschirmfliegen	paragliding 'pärəglaiding
Kajak	kayak 'kaiäk
Kanu	canoe kə'nu:
Rafting	river rafting 'rivə ra:fting
Regatta	regatta ri'gätə
reiten	to ride raid
Ruderboot	rowing boat 'rouing bout
Segelfliegen	gliding 'glaiding
Segelflugzeug	glider 'glaidə
segeln	to sail ßäjl
Thermik	thermal current 'θö:məl 'karənt

Beauty und Wellness

Beim Friseur

What are you having done?	Was wird bei Ihnen gemacht?

 Ich möchte ...   I'd like ... aid 'laik ...

- mir die Haare schneiden lassen.   – a haircut. ə 'heəkat.
- eine Dauerwelle.   – a perm. ə 'pö:m.
- Strähnchen.   – some highlights put in. ßəm 'hailaitß put_in.
- eine Tönung.   – my hair tinted. mai 'heə 'tintid.

143

Ich hätte gerne einen Termin für …	Could I have an appointment for …? kud_ai häv_ən_ə'pojntmənt fə …?
🔵 Schneiden, waschen und föhnen, bitte.	Cut and blow-dry, please. 'kat_ən 'bloudrai, pli:s.
Bitte nur schneiden.	Just a trim, please. dschaßt_ə 'trim, pli:s.
How would you like it?	Wie hätten Sie's denn gern?
🔵 Nicht zu kurz, bitte.	Not too short, please. 'not tu: 'scho:t, pli:s.
🔵 Etwas kürzer, bitte.	A bit shorter, please. ə bit 'scho:tə, pli:s.
Ganz kurz, bitte.	A short crop, please. ə 'scho:t 'krop, pli:s.
Könnten Sie … etwas wegnehmen?	Could you take some away …, please? kud_ju 'täjk ßəm_ə'wäj …, pli:s?
– hinten	– at the back ət ðə 'bäk
– an den Seiten	– at the sides ət ðə 'ßaids
– oben	– on top on 'top
Den Scheitel bitte links / rechts.	The parting on the left / right, please. ðə 'pa:ting on ðə 'left / 'rait, pli:s.
Vielen Dank, so ist es gut.	Thanks, that's fine. 'θänkß, ðätß 'fain.

Beim Friseur: weitere Wörter

Bart	beard biəd
blond	blond *m*, blonde *f* blond
braun	brown braun
färben	to dye dai
föhnen	to blow-dry 'bloudrai
Frisur	hairstyle 'heəßtail
Gel	gel dschel
grau	grey gräj
Haar	hair heə
Haarspray	hairspray 'heəßpräj
Locken	curls kö:ls
Pony	fringe frindsch
rasieren	to shave schäjv
Schaumfestiger	mousse mu:ß
Schnurrbart	moustache mə'ßta:sch
Schuppen	dandruff 'dändraf
schwarz	black bläk
Shampoo	shampoo schäm'pu:
Spülung	rinsing 'rinsing
Stufenschnitt	layered cut 'läjəd kat
waschen	to wash wosch

Bei der Kosmetikerin

Ich hätte gerne eine Gesichtsbehandlung.	I'd like a facial, please. aid 'laik_ə 'fäjschəl, pli:s.
Ich habe …	I've got … aiv got …
– normale Haut.	– normal skin. 'no:ml 'ßkin.
– fettige Haut	– oily skin. ojli 'ßkin.
– trockene Haut.	– dry skin. 'drai 'ßkin.
– Mischhaut.	– combination skin. kombi'näjschn ßkin.

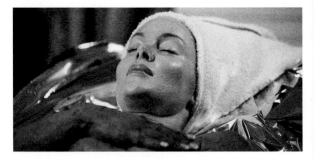

| Ich habe empfindliche Haut. | I've got sensitive skin. aiv got 'ßenßativ 'ßkin. |

🔵 Bitte verwenden Sie nur *parfümfreie / allergiegetestete* Produkte.

Please use only *unperfumed / allergy tested* products. 'pli:s ju:s ounli an'pö:fju:md / 'äl<u>ə</u><u>dschi</u> teßtid 'produktß.

| Machen Sie auch *Gesichtsmassagen / Lymphdrainagen*? | Do you also do *facial toning / lymphatic drainage*? du_ju_'o:lßou du 'fäjsch<u>ə</u>l 'touning / lim'fätik 'dräjni<u>dsch</u>? |

🔵 Könnten Sie mir die Augenbrauen zupfen?

Could you pluck my eyebrows? kud_ju 'plak mai 'aibraus?

🔵 Ich möchte mir die *Wimpern / Augenbrauen* färben lassen.

I'd like to have my *eyelashes / eyebrows* dyed. aid 'laik tə häv mai 'ailäschis / 'aibraus daid.

| Bitte epilieren Sie mir die *Unterschenkel / Beine*. | I'd like a *half leg / leg* wax. aid 'laik_ə 'ha:f 'leg / 'leg wäkß. |

| Bitte eine *Maniküre / Pediküre*. | A *manicure / pedicure*, please. ə 'mänikjuə / 'pedikjuə, pli:s. |

Bei der Kosmetikerin: weitere Wörter

Dekolleté	neck and chest 'nek_ən 'tscheßt
Feuchtigkeitsmaske	moisturising mask 'mojßtschəraising ma:ßk
Gesicht	face fäjß
Hals	neck nek
Hautdiagnose	skin diagnosis 'ßkin daiəg'noußiß
Maske	mask ma:ßk
Packung	pack päk
Peeling	peeling 'pi:ling
Reinigung	cleansing 'klensing

Wohlfühlprogramm

Akupunktur	acupuncture 'äkjəpanktschə
Aromaöl	essential oil i'ßenschl 'ojl
Ayurveda	ayurveda 'aijə'väjdə
Dampfbad	steam bath 'ßti:m ba:θ
Entschlackung	purification pjuərifi'käjschn
Fango	fango 'fängou

Fußreflexzonen-massage	reflexology massage ri:flek'ßolədschi 'mäßa:sch
Heubad	hay bath 'häj ba:θ
Kneipp-Anwendung	Kneipp treatment 'knaip tri:tmənt
Lymphdrainage	lymphatic drainage lim'fätik 'dräjnidsch
Massage	massage 'mäßa:sch
Meditation	meditation medi'täjschn
Sauna	sauna 'ßo:nə
Solarium	solarium ßə'leəriəm
Thermalbad	thermal spa 'θö:məl 'ßpa:
Whirlpool	jacuzzi dschə'ku:si
Yoga	yoga 'jougə

Kultur und Nachtleben

Ich möchte einen Stadtplan.
Could I have a map of the town?

Darf man fotografieren?
Are we allowed to take photographs?

Sehenswertes

info Ausführliche Informationen zum Reiseland Großbritannien finden Sie im Internet unter www.visitbritain.de.

Touristeninformation

🔵 Wo ist die Touristen-
information?

Where's the tourist information office? 'weəs_ðə 'tuərißt infə'mäjschn ofiß?

Welche Sehenswürdig-
keiten gibt es hier?

What are the places of interest around here? 'wot_ə_ðə 'pläjßis_əv_'intreßt ə'raund 'hiə?

🔵 Ich möchte ...

Could I have ... kud_ai häv ...

– einen Plan von der
Umgebung.

– a map of the area?
ə 'mäp_əv ði_'eəriə?

– einen Stadtplan.

– a map of the town?
ə 'mäp_əv ðə 'taun?

– einen U-Bahn-Plan.

– an underground map?
ən_'andəgraund 'mäp?

– einen Veranstaltungs-
kalender.

– an events guide? ən_i'ventß gaid?

Ich möchte ... besichti-
gen.

I'd like to visit ... aid 'laik tə 'visit ...

🔵 Gibt es Stadtrund-
fahrten?

Are there sightseeing tours of the town? a: ðeə 'ßaitßi:ing tuəs_əv ðə 'taun?

Gibt es Stadt-
führungen?

Are there guided walks around the town? a: ðeə 'gaidid 'wo:kß ə'raund ðə 'taun?

Kultur und Nachtleben

Was kostet die *Rund-fahrt / Führung*?

How much is the *sightseeing tour / guided walk*? hau 'matsch_is ðə *'ßaitßi:ing tuə / 'gaidid 'wo:k*?

Wie lange dauert die *Rundfahrt / Führung*?

How long does the *sightseeing tour / guided walk* take? 'hau 'long dəs ðə *'ßaitßi:ing tuə / 'gaidid 'wo:k* täjk?

Bitte *eine Karte / zwei Karten* für die Stadt-rundfahrt.

A ticket / Two tickets for the sightseeing tour, please. ə 'tikit / 'tu: 'tikitß fə_ðə 'ßaitßi:ing tuə, pli:s.

Bitte für den Ausflug morgen nach … *einen Platz / zwei Plätze*.

One ticket / Two tickets for tomor-row's excursion to …, please. 'wan 'tikit / 'tu: 'tikitß fə tə'morous ik'ßkö:schn tə …, pli:s.

Wann / Wo treffen wir uns?

When / Where do we meet? 'wen / 'weə du_wi 'mi:t?

Besichtigen wir auch …?

Do we also visit …? du_wi 'o:lßou 'visit …?

Wann kommen wir zurück?

When do we get back? 'wen du wi get_'bäk?

Wann ist … geöffnet?

When is … open? 'wen is … 'oupən?

Haben Sie auch Prospekte auf Deutsch?

Do you have a brochure in German? du_ju häv_ə 'brouschər_in 'dschö:mən?

➤ *Zimmersuche*, Seite 22
➤ *Öffentlicher Nahverkehr*, Seite 56
➤ *Fragen nach dem Weg*, Seite 36

Besichtigungen, Ausflüge

🌐 Wann ist … geöffnet?
When is … open? 'wen is … 'oupən?

Wie hoch ist der Eintritt?
What's the admission charge? 'wotß ði_əd'mischn tscha:<u>dsch</u>?

Wie viel kostet die Führung?
How much is the guided tour? hau 'matsch_is ðə 'gaidid 'tuə?

💿 Gibt es auch Führungen auf Deutsch?
Are there guided tours in German, too? a: ðeə 'gaidid 'tuəs_in '<u>dsch</u>ö:mən, 'tu:?

🌐 Gibt es eine Ermäßigung für …
Are there concessions for … a: ðeə kən'ßeschns fə …

– Familien?
– families? 'fämli:s?

– Kinder?
– children? 'tschildrən?

– Senioren?
– senior citizens? 'ßi:niə 'ßitisns?

– Studenten?
– students? 'ßtju:dntß?

🌐 Wann beginnt die Führung?
When does the guided tour start? 'wen dəs ðə 'gaidid tuə 'ßta:t?

Eine Karte / Zwei Karten bitte.	One ticket / Two tickets, please. 'wan 'tikit / 'tu: 'tikitß, pli:s.
Zwei Erwachsene, zwei Kinder, bitte.	Two adults and two children, please. 'tu: _'ädaltß _ən 'tu: 'tschildrən, pli:s.
🔊 Darf man fotografieren?	Are we allowed to take photographs? a: wi ə'laud tə täjk 'foutəgra:fß?
🔊 Haben Sie einen *Katalog / Führer*?	Do you have a *catalogue / guide*? du_ju häv_ə 'kätəlog / 'gaid?

> **info** In Großbritannien ist der Eintritt zu den Museen und Gemäldegalerien überwiegend noch frei, mit Ausnahme von Sonderausstellungen. Für freiwillige Spenden stehen meistens Glaskästen bereit.

Besichtigungen, Ausflüge: weitere Wörter

Abtei	abbey 'äbi
Altar	altar 'o:ltə
Altstadt	old part of town 'ould pa:t_əv 'taun
angelsächsisch	Anglo-Saxon änglou'ßäkßn
antik	ancient 'äjnschnt
Aquädukt	aqueduct 'äkwədakt
Aquarell	water-colour 'wo:təkələ
Architekt	architect 'a:kitekt
Ausflugsboot	pleasure boat 'pleschə bout
Ausgrabungen	excavations ekßkə'väjschns
Aussicht	view vju:
Ausstellung	exhibition ekßi'bischn
Barock	baroque bə'rok
Berg	mountain 'mauntin
besichtigen	to visit 'visit

153

Bibliothek	library	'laibrəri
Bild	picture	'piktschə
Bildhauer	sculptor	'ßkalptə
Botanischer Garten	botanical gardens	bə'tänikl 'ga:dns
Brauerei	brewery	'bru:əri
Brücke	bridge	bri<u>dsch</u>
Brunnen	fountain	'fauntən
Burg	castle	'ka:ßl
Büste	bust	baßt
Chor	choir	'kwaiə
Decke	ceiling	'ßi:ling
Denkmal	monument	'monjumənt
Dom	cathedral	kə'θi:drəl
Epoche	age	äj<u>dsch</u>
Fassade	façade	fə'ßa:d
Fenster	window	'windou
Festung	fortress	'fo:trəß
filmen	to film	film
Flohmarkt	flea market	'fli: ma:kit
Fluss	river	'rivə
fotografieren	to take photographs	täjk 'foutəgra:fß
Fremdenführer	tourist guide	'tuərißt gaid
Fremdenverkehrsamt	tourist office	'tuərißt ofiß
Fresko	fresco	'freßkou
Friedhof	cemetery	'ßemətri
Fußgängerzone	pedestrian zone	pə'deßtriən soun
Galerie	gallery	'gäləri
Garten	garden	'ga:dn
Gebäude	building	'bilding
Gebirge	mountains	'mauntins
Gedenkstätte	memorial	mə'mo:riəl
Gegend	area	'eəriə
Gemälde	painting	'päjnting
Gemäldesammlung	art collection	'a:t kə'lekschn

154

geöffnet	open 'oupən
geschlossen	closed klousd
Gewölbe	vault vo:lt
Glocke	bell bel
Glockenspiel	chimes tschaims
Glockenturm	bell tower 'bel tauə
Gotik	Gothic 'goθik
Gottesdienst	church service 'tschö:tsch sö:viß
Grab	grave gräjv
Hafen	harbour 'ha:bə
Halbinsel	peninsula pə'ninßjulə
Hauptstadt	capital 'käpitəl
Haus	house hauß
Hof	court ko:t
Höhle	cave käjv
Hügel	hill hil
Innenstadt	town centre taun 'ßentə
Inschrift	inscription in'ßkripschn
Insel	island 'ailənd
Jahrhundert	century 'ßentschəri
jüdisch	Jewish 'dschu:isch
Kapelle	chapel 'tschäpl
Katalog	catalogue 'kätəlog
Kathedrale	cathedral kə'θi:drəl
katholisch	Catholic 'käθlik
keltisch	Celtic 'keltik
Keramik	ceramic ßə'rämik
Kirche	church tschö:tsch
Kirchturm	church tower 'tschö:tsch tauə
Kloster *(Mönche)*	monastery 'monəßtri
Kloster *(Nonnen)*	convent 'konvənt
König	king king
Königin	queen kwi:n
Kopie	copy 'kopi
Kreuz	cross kroß

155

Kreuzgang	cloisters pl 'klojßtəs
Kronjuwelen	crown jewels kraun 'dschu:əls
Kunst	art a:t
Künstler(in)	artist 'a:tißt
Kuppel	dome doum
Landschaft	landscape 'ländßkäjp
Maler	painter 'päjntə
Malerei	painting 'päjnting
Markt	market 'ma:kit
Markthalle	covered market kavəd 'ma:kit
Marmor	marble 'ma:bl
Mauer	wall wo:l
Mausoleum	mausoleum mo:sə'li:əm
Mittelalter	Middle Ages pl midl_'äjdschis
Modell	model 'modl
modern	modern 'modən
Mosaik	mosaic mou'säjik
Mühle	mill mill
Museum	museum mju'si:əm
Nationalpark	national park näschnəl 'pa:k
Naturschutzgebiet	conservation area konßə'väjschn eəriə
normannisch	Norman 'no:mən
Obelisk	obelisk 'obəlißk
Opernhaus	opera house 'oprə hauß
Orgel	organ 'o:gən
Original	original ə'ridschnəl
Palast	palace 'päləß
Panorama	panorama pänə'ra:mə
Park	park pa:k
Plakat	poster 'poußtə
Planetarium	planetarium plänə'teəriəm
Plastik	sculpture 'ßkalptschə
Platz	square ßkweə
Portal	portal 'po:tl

Porträt	portrait 'poːtrət
Poster	poster 'poußtə
Prospekt	brochure 'brouschə
Rathaus	town hall taun 'hoːl
Relief	relief ri'liːf
Religion	religion ri'lidschən
Renaissance	renaissance ri'näjßnß
restauriert	restored ri'ßtoːd
romanisch	Romanesque roumə'neßk
romantisch	Romantic rou'mäntik
römisch	Roman 'roumən
Ruine	ruins pl 'ruiːns
Saal	hall hoːl
Sammlung	collection kə'lekschn
Sandstein	sandstone 'ßändßtoun
Sarkophag	sarcophagus ßaː'kofəgəß
Säule	pillar 'pilə
Schatzkammer	treasury 'treschəri
Schloss	castle 'kaːßl
Schlucht	ravine rə'viːn
Schnitzerei	carving 'kaːving
See *(Binnengewässer)*	lake läjk
Sehenswürdigkeiten	sights ßaitß
Seilbahn	cable railway 'käjbl ɹäjlwäj
Skulptur	sculpture 'ßkalptschə
Stadion	stadium 'ßtäjdiəm
Stadt	town taun
Stadtmauer	town wall taun 'woːl
Stadtteil	part of town paːt_əv 'taun
Stadttor	town gate taun 'gäjt
Statue	statue 'ßtätschuː
Stausee	reservoir 'resəvwaː
Sternwarte	observatory əb'söːvətri
Stil	style ßtail
Synagoge	synagogue 'ßinəgog

Tal	valley 'väli
Tempel	temple 'templ
Theater	theatre 'θiətə
Töpferei	pottery 'potəri
Tor	gate gäjt
Tropfsteinhöhle	stalactite cave 'ßtäləktait käjv
Turm	tower 'tauə
Überreste	remains ri'mäjns
Umgebung	surroundings pl ßə'raundings
Universität	university ju:ni'vö:ßəti
viktorianisch	Victorian vik'to:riən
Volkskundemuseum	folk museum 'fouk mju:'si:əm
Wachablösung	changing of the guard 'tschäjndsching_əv ðə 'ga:d
Wald	wood wud
Wald *(großer Wald)*	forest 'forißt
Wallfahrtsort	place of pilgrimage 'pläjß_əv 'pilgrimidsch
Wandmalerei	mural 'mjuərəl
Wappen	coat of arms pl 'kout_əv_'a:ms
Wasserfall	waterfall 'wo:təfo:l
Werk	works wö:kß
Zeichnung	drawing 'dro:ing
Zoo	zoo zu:

Kulturveranstaltungen

| Welche Veranstaltungen finden *diese / nächste* Woche statt? | What's on *this / next* week? wotß_'on ðiß / nekßt 'wi:k? |
| 🔘 Haben Sie einen Veranstaltungskalender? | Do you have a programme of events? du_ju häv_ə 'prougräm_əv i'ventß? |

Was wird heute Abend gespielt?	What's on tonight? wotß_'on tə'nait?
Wo bekommt man Karten?	Where can one get tickets? 'weə kən wan get 'tikitß?
Wann beginnt ...	When does ... start? 'wen dəs ... 'ßta:t?
– die Vorstellung?	– the performance ðə pə'fo:mənß
– das Konzert?	– the concert ðə 'konßət
– der Film?	– the film ðə 'film
Kann man Karten reservieren lassen?	Can one reserve tickets? kən wan ri'sö:v 'tikitß?
Ich hatte Karten vorbestellt auf den Namen ...	I reserved tickets under the name of ... ai ri'sö:vd 'tikitß andə_ðə 'näjm_əv ...
Haben Sie noch Karten für *heute / morgen*?	Do you have any tickets for *today / tomorrow*? du_ju häv_eni 'tikitß fə tə'däj / tə'morou?
Bitte *eine Karte / zwei Karten* fur ...	*One ticket / Two tickets* for ..., please. 'wan 'tikit / 'tu: 'tikitß fə ..., pli:s.
– heute.	– today tə'däj
– heute Abend.	– tonight tə'nait
– morgen.	– tomorrow tə'morou
– die Matinée	– the matinée performance ðə 'mätinäj pə'fo:mənß
– die Vorstellung um ... Uhr.	– the ... o'clock performance ðə ... ə'klok pə'fo:mənß
– den Film um ... Uhr.	– the ... o'clock film ðə ... ə'klok film

Ab wann ist Einlass?	When do the doors open?
	'wen du ðə 'ðɔːs 'oupən?
🌐 Sind die Plätze num-	Are the seats numbered?
meriert?	aː ðə 'ßiːtß 'nambəd?
Wie viel kosten die	How much are the tickets?
Karten?	hau 'matsch‿ə‿ðə 'tikitß?

info In London kann man für viele Musicals und Theaterstücke Karten zum halben Preis für Vorstellungen am gleichen Tag bekommen. Dazu muss man sich am offiziellen Kiosk am Leicester Square anstellen, aber das Warten lohnt sich meistens! Hüten Sie sich aber vor den Schwarzhändlern, die dort ebenfalls Karten anbieten, jedoch zu unverschämt hohen Preisen.

Gibt es eine	Are there concessions for …
Ermäßigung für …	aː ðeə kən'ßeschns fə …
– Kinder?	– children? 'tschildrən?
– Senioren?	– senior citizens? 'ßiːniə 'ßitisns?
– Studenten?	– students? 'ßtjuːdntß?
Wann ist die	What time does the performance
Vorstellung zu Ende?	finish? wot‿'taim dəs ðə pə'foːməns
	'finisch?
🌐 Ich möchte ein	I'd like to rent a pair of opera
Opernglas ausleihen.	glasses. aid 'laik tə 'rent‿ə 'peər‿əv
	'oprə glaːßis.

info In manchen Opernhäusern gibt es an den Sitzen Operngläser, die man nach Einwerfen einer 20-Pence-Münze ausleihen kann.

An der Kasse

advance booking	Vorverkauf
box	Loge
box office	Abendkasse
centre	Mitte
circle	Rang
dress circle	erster Rang
gallery	Galerie
left	links
right	rechts
row	Reihe
seat	Platz
sold out	ausverkauft
stalls pl	Parkett
standing ticket	Stehplatz
upper circle	zweiter Rang

Kulturveranstaltungen: weitere Wörter

Akt	act äkt
Ballett	ballet 'bäläj
Chor	choir 'kwaiə
Dirigent	conductor kən'daktə
Festspiele	festival 'feßtivəl
Folkloreabend	evening of traditional music and dance 'i:vning_əv trə'dischnəl 'mju:sik_ən 'da:nß
Freilichtbühne	open-air theatre oupən'eə θiətə
Garderobe	cloakroom 'kloukru:m
Hauptrolle	lead li:d
Inszenierung	production prə'dakschn
Kabarett	cabaret 'käbəräj
Kasse	box office 'bokß_ofiß
Kino	cinema 'ßinəma:

161

Komponist(in)	composer kəm'pousə
Liederabend	song recital 'ßong ri'ßaitl
Musical	musical 'mju:sikl
Musik	music 'mju:sik
Oper	opera 'oprə
Operette	operetta opə'retə
Orchester	orchestra 'o:kəstrə
Originalfassung	original version ə'ridschnəl 'vö:schn
Pause	interval 'intəvl
Platz	seat ßi:t
Popkonzert	pop concert 'pop konßö:t
Premiere	première 'premiə
Programmheft	programme 'prougräm
Regisseur(in)	director də'rektə
Rockkonzert	rock concert 'rok konßö:t
Sänger(in)	singer 'ßingə
Schauspieler	actor 'äktə
Schauspielerin	actress 'äktrəß
Solist(in)	soloist 'ßoulouißt
Spielfilm	feature film 'fi:tschə film
synchronisiert	dubbed dabd
Tänzer(in)	dancer 'da:nßə
Theater	theatre 'θiətə
Theaterstück	play pläj
Untertitel	subtitle 'ßabtaitl
Varieté	variety show və'raiəti schou
Zirkus	circus 'ßö:kəß

Abends ausgehen

Was kann man hier abends unternehmen?

What's there to do round here in the evening? 'wotß ðɛə tə 'du: raund hiər_in ði_'i:vning?

Gibt es hier eine *nette Kneipe / Disco*?

Is there a *nice pub / disco* around here? is ðər_ə 'naiß 'pab / 'dißkou ə'raund 'hiə?

Wo kann man hier tanzen gehen?

Where can you go dancing around here? 'weə kən_ju gou 'da:nßing ə'raund 'hiə?

Ist dort mehr *jüngeres / älteres* Publikum?

Is it more for *young / older* people? is_it 'mo: fə 'jang / 'ouldə 'pi:pl?

Trägt man dort Abendgarderobe?

Do you have to wear evening dress? du_ju häv_tə 'weər_'i:vning dreß?

Ist hier schon besetzt?

Is this seat taken? is 'ðiß_'ßi:t 'tɛjkən?

→ Info Seite 43

Kann man hier auch etwas essen?

Do you serve refreshments? du_ju 'ßö:v ri'freschməntß?

Haben Sie eine Getränkekarte?

Could I see the wine list, please? kud_ai 'ßi: ðə 'wain lißt, pli:s?

Essen und Trinken, Seite 93

Was *möchten Sie / möchtest du* trinken?

What would you like to drink? 'wot wud_ju 'laik tə 'drink?

Darf ich *Sie / dich* zu einem Glas Wein einladen?

Can I buy you a glass of wine? kən_ai 'bai_ju_ə 'gla:ß_əv 'wain?

Tanzen Sie / Tanzt du
mit mir?

Would you like to dance?
wud‿ju 'laik tə 'daːnß?

Sie tanzen / Du tanzt
sehr gut.

You dance very well.
ju 'daːnß veri 'wel.

▶ *Sich verabreden*, Seite 15
▶ *Flirten*, Seite 16

Abends ausgehen: weitere Wörter

Bar	bar baː
Cocktail	cocktail 'koktäjl
Drink	drink drink
laut	loud laud
Livemusik	live music laiv 'mjuːsik
Musikkapelle	band bänd
Spielkasino	gambling casino 'gämbling kə'ßiːnou
Tanzabend	dance daːnß
Theke	bar baː

Behörden

Ich möchte einen Reisescheck einlösen.
I'd like to cash a traveller's cheque.

Wo ist das nächste Postamt?
Where's the nearest post office?

Bank

info Die Öffnungszeiten der Banken sind unterschiedlich, aber die meisten haben werktags von 9:00 bzw. 09:30 bis 17:00 Uhr offen. Manche Filialen öffnen auch für ein paar Stunden am Samstagvormittag. Bargeld bekommt man mit einer Eurocheque- oder Kreditkarte auch an den mit dem entsprechenden Symbol gekennzeichneten Geldautomaten.

Entschuldigen Sie bitte, wo ist hier eine Bank?

Excuse me, where's there a bank around here? ik'ßkju:s mi, 'weəs_ðər_ə 'bänk ə'raund 'hiə?

🌐 Wo kann ich Geld wechseln?

Where can I exchange some money? 'weə kən_ai ikß'tschäjn<u>dsch</u> ßəm 'mani?

Ich möchte ... *Euro / Schweizer Franken* umtauschen.

I'd like to change ... *euros / Swiss francs*. aid 'laik tə 'tschäjn<u>dsch</u> ... 'juərous / 'ßwiß 'fränkß.

Wie ist der Wechselkurs?

What's the exchange rate? 'wotß ði_ikß'tschäjn<u>dsch</u> räjt?

🌐 Wie hoch sind die Gebühren?

What's the commission charge? 'wotß ðə kə'mischn tscha:<u>dsch</u>?

Ich habe mir Geld überweisen lassen. Ist es schon da?

I've had some money transferred to my account. Could you tell me if it's arrived yet? aiv həd ßəm 'mani tränß'fö:d tə_mai ə'kaunt. kud_ju 'tel mi if_itß_ə'raivd jet?

🌐 Ich möchte einen Reisescheck einlösen.

I'd like to cash a traveller's cheque. aid 'laik tə 'käsch_ə 'trävələs tschek.

Can I see your passport, please?

Ihren Pass, bitte.

Would you sign here, please?	Unterschreiben Sie bitte hier.
How would you like it?	Wie möchten Sie das Geld haben?
In kleinen Scheinen, bitte.	In small notes, please. in 'ßmo:l 'noutß, pli:s.
Geben Sie mir bitte auch etwas Kleingeld.	Could you please give me some change as well? kud_ju pli:s 'giv mi ßəm 'tschäjndsch_əs 'wel?

Bank: weitere Wörter

Banküberweisung	cash transfer 'käsch 'tränßfö:
Betrag	amount ə'maunt
Euro	euro 'juərou
Eurochequekarte	Eurocheque card 'juəroutschek ka:d
Geheimzahl	PIN number 'pin_nambə
Geld	money 'mani
Geldautomat	cash dispenser 'käsch diß'penßə
Kartennummer	card number 'ka:d nambə
Kasse	counter 'kauntə
Kreditkarte	credit card 'kredit ka:d
Kurs	exchange rate ikß'tschäjndsch räjt
Münze	coin kojn
Reisescheck	traveller's cheque 'trävələs tschek
Schalter	counter 'kauntə
Scheck	cheque tschek
Scheckkarte	cheque card 'tschek ka:d
Schweizer Franken	Swiss francs ßwiß 'fränkß
Überweisung	transfer 'tränßfö:
Unterschrift	signature 'ßignətschə
Währung	currency 'karənßi
Wechselstube	bureau de change 'bjuərou də 'schondsch

Post

Wo ist *das nächste Postamt / der nächste Briefkasten*?	Where's the nearest *post office / letterbox*? 'weəs_ðə niərəßt 'poußt ofiß / 'letəbokß?
Was kostet *ein Brief / eine Karte* nach …	How much is a *letter / postcard* to …? hau 'matsch_is_ə 'letə / 'poußtka:d tə …?
Fünf Briefmarken zu … Pence, bitte.	Five …-pence stamps, please. 'faiv …-penß 'ßtämpß, pli:s.
Diesen Brief … bitte.	I'd like to send this letter …, please. aid 'laik tə 'ßend ðiß 'letə …, pli:s.
– per Luftpost	– by airmail bai 'eəmäjl
– per Express	– special delivery ßpeschl di'livəri
– per Seepost	– by surface mail bai 'ßö:fiß mäjl
Ich möchte dieses Paket aufgeben.	I'd like to send this parcel. aid 'laik tə 'ßend ðiß 'pa:ßl.
Wo ist der Schalter für postlagernde Sendungen?	Where's the poste restante counter? 'weəs_ðə 'poußt re'ßta:nt kauntə?

Post: weitere Wörter

Absender	sender 'ßendə
Adresse	address ə'dreß
Ansichtskarte	postcard 'poußtka:d
Briefmarke	stamp ßtämp
Eilbrief	express letter ik'ßpreß letə
Empfänger	addressee ädre'ßi:
Päckchen	packet 'päkit
Postleitzahl	postcode 'poußtkoud

168

Schalter	counter 'kauntə
schicken	to send ßend
Sondermarke	special stamp ßpeschl 'ßtämp
Wertangabe	declaration of value deklə'räjschn_əv 'välju:
Wertpaket	registered parcel 'redschißtəd 'pa:ßl

Polizei

Wo ist das nächste Polizeirevier?	Where's the nearest police station? 'weəs_ðə niərəßt pə'li:ß ßtäjschn?
Ich möchte … anzeigen.	I'd like to report … aid 'laik tə ri'po:t …
– einen Diebstahl	– a theft. ə 'θeft.
– einen Überfall	– a mugging. ə 'maging.
– eine Vergewaltigung	– a rape. ə 'räjp.

▶ *Unfall,* Seite 51

Man hat mir … gestohlen.	My … has been stolen. mai … həs bin 'ßtoulən.
Ich habe … verloren.	I've lost … aiv 'loßt …
Mein Auto ist aufgebrochen worden.	My car's been broken into. mai 'ka:s bin 'broukən 'intu.
Ich bin *betrogen / zusammengeschlagen* worden.	I've been *cheated / beaten up.* aiv bin 'tschi:tid / 'bi:tn_'ap.
Ich benötige eine Bescheinigung für meine Versicherung.	I need something in writing for insurance purposes. ai ni:d 'ßamθing_in 'raiting fər_in'schuərənß 'pö:pəßis.

169

🌐 Ich möchte mit meinem *Anwalt / Konsulat* sprechen.	I'd like to speak to my *solicitor / consulate*. aid 'laik tə 'ßpi:k tə_mai ßə'lißitə / 'konßjulət.
Ich bin unschuldig.	I'm innocent. aim 'inəßənt.
Would you fill in this form, please?	Füllen Sie bitte dieses Formular aus.
Can I see some identification, please?	Ihren Ausweis, bitte.
When / Where did it happen?	*Wann / Wo* ist es passiert?
Please get in touch with your consulate.	Wenden Sie sich bitte an Ihr Konsulat.

Polizei: weitere Wörter

Autoradio	car radio 'ka: räjdiou
belästigen	to molest mə'leßt
Botschaft	embassy 'embəßi
Dieb	thief θi:f
Falschgeld	counterfeit money 'kauntəfit mani
Fundbüro	lost property office loßt 'propəti_ofiß
gestohlen	stolen 'ßtoulən
Handtasche	handbag 'händbäg
Polizei	police pə'li:ß
Polizist	policeman pə'li:ßmən
Portemonnaie	purse pö:ß
Rauschgift	drugs pl drags
Unfall	accident 'äkßidənt
verhaften	to arrest ə'reßt
Zeuge	witness 'witnəß

Gesundheit

Ich brauche dieses Medikament.
I need this medicine.

Mir ist schwindelig.
I'm dizzy.

Apotheke

info Die meisten chemists (Apotheken) haben die normalen Ladenöffnungszeiten von 9:00 bis 18:00 Uhr. Genau wie in Deutschland hat eine bestimmte Apotheke Nachtdienst (duty chemist). Die Läden der großen Drogeriekette „Boots" haben auch jeweils eine Apothekenabteilung und sind bis 20:00 Uhr geöffnet.

🔊 Wo ist die nächste Apotheke (mit Nachtdienst)?
Where's the nearest (duty) chemist? 'weəs_ðə niərəßt ('djuːti) 'kemißt?

🔊 Haben Sie etwas gegen ...?
Do you have anything for ...? du_ju häv_'eniθing fə ...?

▶ *Krankheiten und Beschwerden,* Seite 183

🔊 Ich brauche dieses Medikament.
I need this medicine. ai niːd 'ðiß 'medßin.

Eine kleine Packung genügt.
A small pack will do. ə 'ßmoːl päk wil 'duː.

You need a prescription for this medicine.
Dieses Medikament ist rezeptpflichtig.

I'm afraid we haven't got that.
Das haben wir nicht da.

We'll have to order it.
Wir müssen es bestellen.

Wann kann ich es abholen?
When can I pick it up? 'wen kən_ai pik_it_'ap?

🔊 Wie muss ich es einnehmen?
How should I take it? 'hau schud_ai 'täjk_it?

172

Beipackzettel

ingredients	Zusammensetzung
field of application	Anwendungsgebiete
contraindications	Gegenanzeigen
dosage instructions	Dosierungsanleitung
infants	Säuglinge
children (*over / under* … years)	Kinder (*ab / bis zu* … Jahren)
pregnant women	Schwangere
adults	Erwachsene
three times a day	dreimal täglich
one caplet	eine Tablette
ten drops	zehn Tropfen
one teaspoon	ein Teelöffel
to be taken as directed	nach Anweisung des Arztes
Directions	Einnahme
dissolve on the tongue	im Munde zergehen lassen
after meals	nach dem Essen
before meals	vor dem Essen
on an empty stomach	auf nüchternen Magen
to be swallowed whole, unchewed	unzerkaut einnehmen
application	Anwendung
external	äußerlich
rectal	rektal
internal	innerlich
oral	oral
side effects	Nebenwirkungen
may cause drowsiness	kann zu Müdigkeit führen
you are advised not to drive	kann zu Beeinträchtigungen im Straßenverkehr führen

Medikamente

Abführmittel	laxative 'läkßətiv
Antibabypille	contraceptive pill kontrə'ßeptiv 'pil
Antibiotikum	antibiotic äntibai'otik
Augentropfen	eye drops 'ai dropß
Beruhigungsmittel	tranquillizer 'tränkwilaisə
Desinfektionsmittel	antiseptic änti'ßeptik
Elastikbinde	elasticated bandage
	i'läßtikäjtid 'bändidsch
Fieberthermometer	thermometer θə'momətə
Halsschmerztabletten	throat pastilles 'θrout päßtəls
homöopathisch	homeopathic houmiou'päθik
Hustensaft	cough mixture 'kof mikßtschə
Insulin	insulin 'inßjulin
Jod	iodine 'aiədi:n
Kohletabletten	charcoal tablets
	'tscha:koul 'täblətß
Kondome	condoms 'kondəms
Kopfschmerztabletten	headache pills 'hedäjk pils
Kreislaufmittel	circulatory stimulant
	ßö:kju'läjtəri 'ßtimjulənt
Magentabletten	indigestion tablets
	indi'dschestschən 'täblətß
Mittel gegen …	something for … 'ßamθing fə …

▶ *Krankheiten und Beschwerden*, Seite 183

Mullbinde	gauze bandage 'go:s bändidsch
Nasentropfen	nose drops 'nous dropß
Ohrentropfen	ear drops 'iə dropß
Pflaster	plaster 'plɑ:ßtə
Puder	powder 'paudə
Pulver	powder 'paudə
Rezept	prescription pri'ßkripschn
Salbe gegen Juckreiz	anti-histamine ointment
	änti'hißtəmi:n 'ojntmənt

Salbe gegen Mückenstiche	**ointment for mosquito bites** 'ojntmənt fə moß'ki:tou baitß
Salbe gegen Sonnenallergie	**ointment for a sun allergy** 'ojntmənt fər_ə 'ßan älədschi
Salbe gegen Sonnenbrand	**ointment for sunburn** 'ojntmənt fə 'ßanbö:n
Schlaftabletten	**sleeping pills** 'ßli:ping pils
Schmerzmittel	**painkiller** 'päjnkilə
Spritze	**injection** in'dschekschn
Tabletten	**tablets** 'täblətß
Tropfen	**drops** dropß
Verbandszeug	**first-aid kit** fö:ßt'äjd kit
Wundsalbe	**antiseptic ointment** änti'ßeptik 'ojntmənt
Zäpfchen	**suppository** ßə'posətri

Arzt

Arztsuche

🔵 Können Sie mir einen praktischen Arzt / Zahnarzt empfehlen?

Can you recommend me a *doctor* / *dentist*? kən_ju rekə'mend mi_ə 'duktə / 'dentißt?

➤ für weitere Ärzte: Ärzte, Seite 176

Spricht er Deutsch?

Does he speak German? dəs_hi ßpi:k 'dschö:mən?

🔵 Wann hat er Sprechstunde?

When are his surgery hours? 'wen_ə his 'ßö:dschəri_auəs?

🔵 Wo ist seine Praxis?

Where's his surgery? 'weəs_his 'ßö:dschəri?

Kann er herkommen?

Can he come here? kən_hi kam 'hiə?

175

info Bei Unfällen oder in dringenden Krankheitsfällen können unter der gebührenfreien Nummer 999 des Notdienstes einen Krankenwagen (ambulance) anfordern. Unter dieser Nummer erreichen Sie auch die Polizei (police) und die Feuerwehr (fire department).

🔊 Rufen Sie bitte einen Krankenwagen / Notarzt!

Please call *an ambulance / a doctor*! 'pli:s ko:l_ən_'ämbjuləns / ə 'doktə!

Mein Mann / Meine Frau ist krank.

My *husband / wife* is sick. mai 'hasbənd / 'waif_is 'ßik.

Wohin bringen Sie *ihn / sie*?

Where are you taking *him / her*? 'weər_ə jə 'täjking *him / hö:*?

Ich möchte mitkommen.

I'd like to come too. 'aid laik tə kam 'tu:.

Ärzte

Arzt	doctor 'doktə
Ärztin	female doctor 'fi:mäjl 'doktə
Augenarzt	eye specialist 'ai ßpeschəlißt
Frauenarzt	gynaecologist gainə'kolədschißt
Frauenärztin	female gynaecologist 'fi:mäjl gainə'kolədschißt
Hals-Nasen-Ohren- Arzt	ear, nose and throat doctor 'iə 'nous_ən 'θrout doktə
Hautarzt	dermatologist dö:mə'tolədschißt
Heilpraktiker	alternative practitioner o:l'tö:nətiv präk'tischnə
Internist	internist in'tö:nißt
Kinderarzt	paediatrician pi:diə'trischn
Orthopäde	orthopaedist o:θə'pi:dißt

Praktischer Arzt	general practitioner
	'dschenrəl präk'tischnə
Tierarzt	vet vet
Urologe	urologist ju'rolədschißt
Zahnarzt	dentist 'dentißt

➤ Beim Zahnarzt, Seite 187

Beim Arzt

info EU-Bürger werden in Großbritannien von Ärzten des National Health Service kostenlos behandelt, wenn sie einen Internationalen Krankenschein vorlegen. Private Behandlung gibt es natürlich nicht umsonst, deshalb sollten sich privat Versicherte eine Rechnung über Arzt- bzw. Krankenhauskosten geben lassen, um sie der Versicherung im Heimatland vorzulegen. Die Rezeptgebühren sind in Großbritannien relativ hoch.

Ich bin (stark) erkältet.	I've got a (bad) cold.
	aiv got_ə ('bäd) 'kould.
Ich habe …	I've got … aiv got …
– Kopfschmerzen.	– a headache. ə 'hedäjk.
– Halsschmerzen.	– a sore throat.
	ə 'ßo: 'θrout.
– (hohes) Fieber.	– a (very high) temperature.
	ə ('veri 'hai) 'temprətschə.
– eine Grippe.	– the flu. ðə 'flu:.
– Durchfall.	– diarrhoea. daiə'riə.
Ich fühle mich nicht wohl.	I don't feel well. ai dount 'fi:l wel.
Mir ist schwindelig.	I'm dizzy. aim 'disi.

177

Mir *tut / tun* ... weh. My ... *hurts / hurt*.
mai ... *hö:tß / hö:t*.

▶ *Körperteile und Organe,* Seite 181

💿 Hier habe ich It hurts here. it 'hö:tß 'hiə.
Schmerzen.

Ich habe mich I've been sick (several times).
(mehrmals) übergeben. aiv bin 'ßik ('ßevərəl 'taims).

💿 Ich habe mir den I've got an upset stomach.
Magen verdorben. aiv got_ən ap'ßet 'ßtamək.

💿 Ich bin ohnmächtig I fainted. ai 'fäjntid.
geworden.

Ich kann mein(e/n) ... I can't move my ...
nicht bewegen. ai 'ka:nt 'mu:v mai ...

▶ *Körperteile und Organe,* Seite 181

💿 Ich habe mich verletzt. I've hurt myself. aiv 'hö:t mai'ßelf.

Ich bin gestürzt.	I've had a fall. aiv həd_ə 'fo:l.
Ich bin von ... *gestochen / gebissen* worden.	I've been *stung / bitten* by ... aiv bin 'ßtang / 'bitn bai ...
Ich bin (nicht) gegen ... geimpft.	I'm (not) vaccinated against ... aim ('not) 'väkßinäjtid ə'genßt ...
Ich bin allergisch gegen Penizillin.	I'm allergic to penicillin. aim ə'lö:<u>dsch</u>ik tə peni'ßilin.
Ich habe einen *hohen / niedrigen* Blutdruck.	I've got *high / low* blood pressure. aiv got 'hai / 'lou 'blad 'preschə.
Ich habe einen Herzschrittmacher.	I've got a pacemaker. aiv got_ə 'päjßmäjkə.
Ich bin (im ... Monat) schwanger.	I'm (... months) pregnant. aim (... manθs) 'pregnənt.
Ich bin Diabetiker.	I'm diabetic. aim daiə'betik.
Ich nehme regelmäßig diese Medikamente.	I take *these tablets / this medicine* regularly. ai 'täjk ði:s 'täblətß / ðiß 'medßin 'regjuləli.

 info Ärzte und Ärztinnen werden mit Namen und Titel angeredet, z.B. "Doctor Jones". Im Gespräch kann man sie ruhig nur mit Doctor ansprechen. Bei Chirurgen bzw. Chirurginnen und Zahnärzte bzw. Zahnärztinnen ist das aber anders – sie werden mit Mr., Mrs. oder Ms. angeredet.

What can I do for you?	Was kann ich für Sie tun?
Where's the pain?	Wo haben Sie Schmerzen?
Does that hurt?	Ist das unangenehm?
Open your mouth.	Öffnen Sie den Mund.

179

Show me your tongue.	Zeigen Sie die Zunge.
Would you strip down to the waist, please?	Bitte machen Sie den Oberkörper frei.
Would you roll up your sleeve, please?	Bitte machen Sie Ihren Arm frei.
We'll have to X-ray you.	Wir müssen Sie röntgen.
Take a deep breath. Hold your breath.	Atmen Sie tief ein. Atem anhalten.
How long have you had this problem?	Wie lange haben Sie diese Beschwerden schon?
Are you vaccinated against ...?	Sind Sie gegen ... geimpft?
Do you have a vaccination card?	Haben Sie einen Impfpass?
I'll need a *blood/ urine* sample.	Ich brauche eine *Blutprobe/Urinprobe*.
You'll have to have an operation.	Sie müssen operiert werden.
It's nothing serious.	Es ist nichts Ernstes.
Come back *tomorrow/in ... days'* time.	Kommen Sie *morgen/in ... Tagen* wieder.
🔘 Können Sie mir ein Attest ausstellen?	Can you give me a doctor's certificate? kən‿ju 'giv mi‿ə 'doktəs ßə'tifikət?

🔊 Muss ich noch einmal kommen?

Do I have to come back?
du_ai häv_tə 'kam 'bäk?

🔊 Geben Sie mir bitte eine Quittung für meine Versicherung.

Could you give me a receipt for my medical insurance? kud_ju 'giv mi_ə ri'ßi:t fə mai 'medikl in'schuərənß?

Körperteile und Organe

Arm	arm a:m
Auge	eye ai
Bandscheibe	disc dißk
Bauch	abdomen 'äbdəmən
Becken	pelvis 'pelviß
Bein	leg leg
Blase	bladder 'blädə
Blinddarm	appendix ə'pendikß
Blut	blood blad
Bronchien	bronchial tubes 'bronkjəl tju:bs
Brust	chest tscheßt
Darm	intestine in'teßtin
Ferse	heel hi:l
Finger	finger 'fingə
Fuß	foot fut
Galle	gall bladder 'go:l blädə
Gehirn	brain bräjn
Gelenk	joint dschojnt
Gesäß	bottom 'botəm
Geschlechtsorgane	genitals 'dschenitls
Gesicht	face fäjß
Hals (äußerer)	neck nek
Hals (innerer)	throat θrout
Hand	hand händ
Haut	skin ßkin

Herz	heart haːt
Hüfte	hip hip
Knie	knee niː
Kniescheibe	kneecap 'niːkäp
Knöchel	ankle 'änkl
Knochen	bone boun
Knorpel	cartilage 'kaːtələdsch
Kopf	head hed
Körper	body 'bodi
Leber	liver 'livə
Lunge	lungs pl langs
Magen	stomach 'ßtamək
Mandeln	tonsils 'tonßls
Mund	mouth mauθ
Muskel	muscle 'maßl
Nacken	back of the neck 'bäk ̮ əv ðə 'nek
Nase	nose nous
Nebenhöhle	sinus 'ßainəß
Nerv	nerve nöːv
Niere	kidney 'kidni
Ohr	ear iə
Rippe	rib rib
Rücken	back bäk
Schienbein	shinbone 'schinboun
Schilddrüse	thyroid gland 'θairojd gländ
Schlüsselbein	collarbone 'koləboun
Schulter	shoulder 'schouldə
Sehne	tendon 'tendən
Stirn	forehead 'foːhed
Stirnhöhle	frontal sinus 'frantl 'ßainəß
Wade	calf kaːf
Wirbel	vertebra 'vöːtəbrə
Wirbelsäule	spine ßpain
Zehe	toe tou
Zunge	tongue tang

Krankheiten und Beschwerden

Abszess	abscess 'äbßeß
Aids	Aids äjds
Allergie	allergy 'älədschi
Angina	tonsillitis tonßə'laitiß
ansteckend	infectious in'fekschəs
Asthma	asthma 'äßmə
Atembeschwerden	breathing problems 'bri:ðing 'probləms
Ausschlag	rash räsch
Bänderriss	torn ligament to:n 'ligəmənt
Bänderzerrung	pulled ligament puld 'ligəmənt
Bindehautentzündung	conjunctivitis kəndschankti'vaitiß
Biss	bite bait
Blasenentzündung	cystitis ßi'ßtaitiß
Blinddarmentzündung	appendicitis əpendi'ßaitiß
Blutdruck, hoher	high blood pressure hai 'blad preschə
Blutdruck, niedriger	low blood pressure lou 'blad preschə
Blutung	haemorrhage 'heməridsch
Blutvergiftung	blood poisoning 'blad pojsning
Bronchitis	bronchitis bron'kaitiß
Diabetes	diabetes daiə'bi:tis
Durchfall	diarrhoea daiə'riə
Entzündung	inflammation inflə'mäjschn
Erbrechen	vomiting 'vomiting
Erkältung	cold kould
Fieber	fever 'fi:və
Gallensteine	gallstones 'go:lßtouns
gebrochen	broken 'broukən
Gehirnerschütterung	concussion kən'kaschn
Geschlechtskrankheit	sexually transmitted disease 'ßekschuəli träns'mitid di'si:s
Geschwür *(Haut)*	sore ßo:
Geschwür *(Magen u.ä.)*	ulcer 'alßə

183

Grippe	flu flu:
Hämorriden	haemorrhoids 'hemərojds
Herpes	herpes 'hö:pi:s
Herzanfall	heart attack 'ha:t_ə'täk
Herzfehler	heart problem 'ha:t problem
Herzinfarkt	cardiac infarction 'ka:diäk in'fa:kschn
Herzschrittmacher	pacemaker 'päjßmäjkə
Heuschnupfen	hay fever 'häj fi:və
Hexenschuss	lumbago lam'bäjgou
Hirnhautentzündung	meningitis menin'dschaitiß
Husten	cough kof
Infektion	infection in'fekschn
Ischias	sciatica ßai'ätikə
Keuchhusten	whooping cough 'hu:ping kaf
Kinderlähmung	polio 'pouliou
Kolik	colic 'kolik
Krampf	cramp krämp
Krankheit	disease di'si:s
Krebs	cancer 'känßə
Kreislaufstörungen	circulatory problems ßö:kju'läjtəri 'problems
Lebensmittelvergiftung	food poisoning 'fu:d pojsning
Leistenbruch	hernia 'hö:niə
Lungenentzündung	pneumonia nju:'mouniə
Magengeschwür	stomach ulcer 'ßtamək alßə
Magenschmerzen	stomach ache sg 'ßtamək äjk
Malaria	malaria mə'leəriə
Mandelentzündung	tonsillitis tonßə'laitiß
Masern	measles 'mi:sls
Menstruation	periods pl 'piəriəds
Migräne	migraine 'mi:gräjn
Mittelohrentzündung	inflammation of the middle ear inflə'mäjschn_əv ðə 'midl_'iə
Mumps	mumps mampß
Muskelzerrung	pulled muscle puld 'maßl

Nasenbluten	nose bleed 'nous bli:d
Neuralgie	neuralgia nju'räldschiə
Nierensteine	kidney stones 'kidni ßtouns
Pilzinfektion	fungal infection 'fangl_in'fekschn
Prellung	bruise bru:s
Reisekrankheit	travel sickness 'trävl ßiknəß
Rheuma	rheumatism 'ru:mətism
Röteln	German measles dschö:mən 'mi:sls
Salmonellenvergiftung	salmonella poisoning ßälmə'nelə pojsning
Scharlach	scarlet fever ßka:lət 'fi:və
Schlaganfall	stroke ßtrouk
Schnupfen	cold kould
Schock	shock schok
Schüttelfrost	shivering fit 'schivəring fit
Schwellung	swelling 'ßweling
Schwindel	dizziness 'disinəß
Sehnenzerrung	pulled tendon puld 'tendən
Sodbrennen	heartburn 'ha:tbö:n
Sonnenbrand	sunburn 'ßanbö:n
Sonnenstich	sunstroke 'ßanßtrouk
Stich (Biene, Wespe)	sting ßting
Stich (Mücke)	bite bait
Tetanus	tetanus 'tetənəß
Tumor	tumour 'tju:mə
Übelkeit	nausea 'no:siə
Verbrennung	burn bö:n
Verletzung	injury 'indschəri
verrenkt	dislocated 'dißləkäjtid
verstaucht	sprained ßpräjnd
Verstopfung	constipation konßti'päjschn
Windpocken	chicken pox 'tschikin pokß
Wunde	wound wu:nd
Zeckenbiss	tick bite 'tik bait
Zyste	cyst ßißt

Im Krankenhaus

🔵 Ich möchte mit einem Arzt sprechen.

I'd like to speak to a doctor.
aid 'laik tə 'ßpi:k tu̯ə 'doktə.

Ich möchte mich lieber in Deutschland operieren lassen.

I'd rather have the operation in Germany. aid 'ra:ðə häv ði̯ opə'räjschn in 'dschö:məni.

🔵 Ich habe eine Versicherung für den Rücktransport.

I'm insured for repatriation expenses. aim in'schuəd fə ri:pätri'äjschn ik'ßpenßis.

Bitte benachrichtigen Sie meine Familie.

Would you please let my family know? wud‿ju 'pli:s let mai 'fämli nou?

🔵 Schwester / Pfleger, könnten Sie mir bitte helfen?

Nurse / Orderly, could you help me, please? 'nö:ß / 'o:dəli, kud‿ju 'help mi, pli:s?

🔵 Geben Sie mir bitte etwas gegen die Schmerzen / zum Einschlafen.

Could you give me a painkiller / something to get to sleep? kud‿ju 'giv mi‿ə 'päjnkilə / 'ßamθing tə get tə 'sli:p?

Beim Zahnarzt

info Zahnärztliche Behandlung wird in Großbritannien in Rechnung gestellt. Lassen Sie sich also eine Quittung zur Vorlage bei der Krankenversicherung im Heimatland geben.

 Dieser Zahn ... tut weh.

This tooth ... hurts.
'ðiß tu:θ ... 'hö:tß.

– hier
– hinten
– vorne

– here hiə
– at the back ət ðə 'bäk
– at the front ət ðə 'frant

 Der Zahn ist abgebrochen.

This tooth has broken off.
ðiß 'tu:θ həs 'brəukən_'of.

Ich habe eine *Füllung/ Krone* verloren.

I've lost a *filling/crown.*
aiv 'loßt_ə 'filing/'kraun.

 Können Sie den Zahn provisorisch behandeln?

Could you do a temporary job on the tooth? kud_ju 'du:_ə 'tempreri dschob on ðə 'tu:θ?

Den Zahn bitte nicht ziehen.

Please don't extract the tooth.
'pli:s 'dount ik'ßträkt ðə 'tu:θ.

Geben Sie mir bitte eine Spritze.

Would you give me an injection, please? wud_ju 'giv mi_ən_in'dschekschn, pli:s?

Geben Sie mir bitte keine Spritze.

I'd rather not have an injection, please. aid 'ra:ðə 'not häv_ən_in'dschekschn, pli:s.

Können Sie diese Prothese reparieren?

Can you repair these dentures?
kən_ju ri'peə ði:s 'dentschəs?

You need …	Sie brauchen …
– a bridge.	– eine Brücke.
– a filling.	– eine Füllung.
– a crown.	– eine Krone.

I'll have to take the tooth out.	Ich muss den Zahn ziehen.
Have a good rinse.	Bitte gut spülen.
Don't eat anything for two hours.	Bitte zwei Stunden nichts essen.

Beim Zahnarzt: weitere Wörter

Abdruck	impression im'preschn
Amalgamfüllung	amalgam filling ə'mälgəm 'filing
Gebiss	dentures pl 'dentschəs
Goldinlay	gold filling gould 'filing
Inlay	inlay 'inläj
Karies	tooth decay 'tu:θ di'käj
Kiefer	jaw dscho:
Kunststofffüllung	composite filling 'kompəsit 'filing
Nerv	nerve nö:v
Parodontose	pyorrhoea paiə'ri:ə
Porzellanfüllung	porcelain filling 'po:ßlin filing
Provisorium	temporary filling 'temprəri 'filing
Weisheitszahn	wisdom tooth 'wisdəm tu:θ
Wurzel	root ru:t
Wurzelbehandlung	root canal work 'ru:t kə'näl wö:k
Zahn	tooth tu:θ
Zahnfleisch	gums pl gams
Zahnfleischentzündung	gum infection 'gam in'fekschn
Zahnspange	brace bräjß
Zahnstein	tartar 'ta:tə

Die Zeit

Wie spät ist es?
What's the time?

Es ist Viertel nach 5.
It's quarter past five.

Uhrzeit

🔊 Wie spät ist es?

What's the time? 'wotß ðə 'taim?

🔊 Es ist 1 Uhr.

It's one o'clock. itß 'wan_ə'klok.

🔊 Es ist 2 Uhr.

It's two o'clock. itß 'tu:_ə'klok.

Es ist 12 Uhr.

It's twelve o'clock. itß 'twelv ə'klok.

Es ist 5 (Minuten) nach 4.

It's five past four. itß 'faiv pa:ßt 'fo:.

🔊 Es ist Viertel nach 5.

It's quarter past five. itß 'kwo:tə pa:ßt 'faiv.

🔊 Es ist halb 7.

It's half past six. itß 'ha:f pa:ßt 'ßikß.

Es ist 15 Uhr 35.

It's twenty-five to four. itß twenti'faiv tə 'fo:.

🔊 Es ist Viertel vor 9.

It's quarter to nine. itß 'kwo:tə tə 'nain.

Es ist 10 (Minuten) vor 8.	It's ten to eight. itß 'ten tu‿'äjt.
Um wie viel Uhr?	What time? wot‿'taim?
Um 10 Uhr.	At ten o'clock. ət 'ten‿ə'klok.
Bis 11 (Uhr).	Until eleven (o'clock). ən'til i'levn (ə'klok).
Von 8 bis 9 Uhr.	From eight till nine. frəm 'äjt til 'nain.
Zwischen 10 und 12 Uhr.	Between ten and twelve. bi'twi:n 'ten‿ən 'twelv.
Nicht vor 19 Uhr.	Not before seven (p.m.). not bi'fo: 'ßevn (pi:'em).
In einer halben Stunde.	In half an hour. in 'ha:f‿ən‿'auə.
Es ist (zu) spät.	It's (too) late. itß ('tu:) 'läjt.
Es ist noch zu früh.	It's too early. itß 'tu: 'ö:li.

Allgemeine Zeitangaben

Abend	evening 'i:vning
abends	in the evening in ði‿'i:vning
am Nachmittag	in the afternoon in ði‿a:ftə'nu:n
bald	soon ßu:n
bis	until ən'til
früh	early 'ö:li
gestern	yesterday 'jeßtədäj
heute	today tə'däj
heute Morgen	this morning ðiß 'mo:ning
heute Nachmittag	this afternoon ðiß a:ftə'nu:n
heute Abend	tonight tə'nait
in 14 Tagen	in a fortnight in‿ə 'fo:tnait

Jahr	year jiə
jetzt	now nau
manchmal	sometimes 'ßamtaims
Minute	minute 'minit
mittags	at midday ət mid'däj
Monat	month manθ
morgen	tomorrow tə'morou
morgens	in the morning in ðə 'mo:ning
Nachmittag	afternoon a:ftə'nu:n
nächstes Jahr	next year nekßt 'jiə
Nacht	night nait
nachts	at night ət 'nait
seit *(bei Zeitpunkt)*	since ßinß
seit *(bei Zeitraum)*	for fo:
Sekunde	second 'ßekənd
spät	late läjt
später	later 'läjtə
Stunde	hour 'auə
Stunde, halbe	half an hour 'ha:f_ən_'auə
Tag	day däj
übermorgen	the day after tomorrow ðə 'däj_a:ftə tə'morou
um	at ät
Viertelstunde	quarter of an hour 'kwo:tər_əv_ən_'auə
vor einem Monat	a month ago ə 'manθ_ə'gou
vor Kurzem	recently 'ri:ßntli
vorgestern	the day before yesterday ðə 'däj bi'fo: 'jeßtədäj
Vormittag	morning 'mo:ning
vormittags	in the morning in ðə 'mo:ning
Woche	week wi:k
Zeit	time taim

Jahreszeiten

Frühling	spring ßpring
Sommer	summer 'ßamə
Herbst	autumn 'o:təm
Winter	winter 'wintə

Datum

Den Wievielten haben wir heute?	What's the date today? 'wotß ðə 'däjt tə'däj?
Heute ist der 2. Juli.	Today's the 2nd of July. tə'däjs ðə 'ßekənd_əv dschu'lai.
Am 4. *dieses / nächsten* Monats.	On the 4th of *this / next* month. on ðə 'fo:θ_əv 'ðiß / 'nekßt 'manθ.
Bis zum 10. März.	Until the 10th of March. ən'til ðə 'tenθ_əv 'ma:tsch.
Wir reisen am 20. August ab.	We're leaving on the 20th of August. wiə 'li:ving on ðə 'twentiəθ_əv 'o:gaßt.

193

Wochentage

Montag	Monday 'mandäj
Dienstag	Tuesday 'tjuːsdäj
Mittwoch	Wednesday 'wensdäj
Donnerstag	Thursday 'θöːsdäj
Freitag	Friday 'fraidäj
Samstag, Sonnabend	Saturday 'ßätədäj
Sonntag	Sunday 'ßandäj

Monate

Januar	January 'dschänjuəri
Februar	February 'februəri
März	March maːtsch
April	April 'äjprəl
Mai	May mäj
Juni	June dschuːn
Juli	July dschu'lai
August	August 'oːgaßt
September	September ßep'tembə
Oktober	October ok'toubə
November	November nou'vembə
Dezember	December di'ßembə

Feiertage

info In Großbritannien genießt man bei Weitem nicht so viele Feiertage wie in den deutschsprachigen Ländern. Wenn ein Feiertag allerdings auf ein Wochenende fällt, wird er am darauffolgenden Montag nachgeholt. In der folgenden Übersicht sind die Feste, die keine offiziellen Feiertage darstellen, mit einem Stern versehen.

Feiertage

Neujahr	New Year's Day	'nju: jiəs 'däj
Fasching, Karneval	carnival*	'ka:nivəl
Karfreitag	Good Friday	gud 'fraidäj
Ostern	Easter	'i:ßtə
Pfingsten	Whitsun*	'witßn
der erste Montag im Mai	May Day Bank Holiday	'mäj däj bänk 'holədäj
der letzte Montag im Mai	Spring Bank Holiday	'ßpring bänk 'holədäj
Fronleichnam	Corpus Christi*	ko:pəß 'krißti
Himmelfahrt	Ascension Day*	ə'ßenschn däj
Mariä Himmelfahrt	Assumption*	ə'ßampschn
der letzte Montag im August	August Bank Holiday	'o:gəßt bänk 'holədäj
Allerheiligen	All Soul's Day*	o:l 'ßouls däj
Heiligabend	Christmas Eve*	krißməß 'i:v
Weihnachten	Christmas	'krißməß
1. Weihnachtstag	Christmas Day	krißməß 'däj
2. Weihnachtstag	Boxing Day	'bokßing däj
Silvester	New Year's Eve*	'nju: jiəs 'i:v

info Außerdem gibt es noch folgende Feste:
Bonfire Night; Fireworks Night* ˈbonfaiə nait,
ˈfaiəwöːkß nait am 5. November. Das ist kein Feiertag, aber jede
Stadt veranstaltet Feuerwerk und Scheiterhaufen, auf dem eine
Puppe, ein guy, verbrannt wird. Dies erinnert an den
gescheiterten "Gunpowder Plot" *(Schießpulver Komplott)* von
Guy Fawkes und Konsorten, die am 5. November 1605 das
britische Parlament in die Luft sprengen wollten. Der
5. November ist in England, eher als Silvester, die große
"Feuerwerksnacht".

Halloween* hälouˈwiːn am 31. Oktober. Am All Hallows
Eve *(die Nacht vor Allerheiligen)* verkleidet man sich bei Partys,
ähnlich wie für Fasching, als Hexen, Geister, Skelette usw.,
ursprünglich, um die bösen Geister zu vertreiben.

Am Shrove Tuesday* schrouv ˈtjuːsdäj *(Faschingsdienstag)*
werden abends traditionell pancakes *(Pfannkuchen)* gebacken
– ursprünglich, um vor der Fastenzeit Essensreste zu verwerten.

Wetter und Umwelt

Was für ein schönes Wetter heute!
What lovely weather we're having today!

Was sagt der Wetterbericht?
What's the weather forecast?

Wetter

🔊 Was für ein *schönes / schlechtes* Wetter heute!

What *lovely / awful* weather we're having today! wot ˈlavli / ˈoːfl ˈweðə wiə ˈhäving təˈdäj!

🔊 Wie wird das Wetter *heute / morgen*?

What's the weather going to be like *today / tomorrow*? ˈwotß ðə ˈweðə gouing tə bi ˈlaik təˈdäj / təˈmorouʔ

🔊 Was sagt der Wetterbericht?

What's the weather forecast? ˈwotß ðə ˈweðə ˈfoːkaːßt?

🔊 Es *ist / wird* …

It's / It's going to be … itß / itß ˈgouing tə bi …

– schön.
– schlecht.
– warm.
– heiß.
– kalt.
– schwül.

– nice. ˈnaiß.
– bad. ˈbäd.
– warm. ˈwoːm.
– hot. ˈhot.
– cold. ˈkould.
– humid. ˈhjuːmid.

🔊 Es wird *Regen / ein Gewitter* geben.

It's going to *rain / be stormy*. itß ˈgouing tə ˈräjn / bi ˈßtoːmi.

Die Sonne scheint.

The sun's shining. ðə ˈßans ˈschaining.

Es ist ziemlich windig.

It's quite windy. itß ˈkwait ˈwindi.

🔊 Es regnet.

It's raining. itß ˈräjning.

Es schneit.

It's snowing. itß ˈßnouing.

🔊 Wie viel Grad haben wir?

What's the temperature? ˈwotß ðə ˈtemprətschə?

Es sind … Grad (unter null).

It's … degrees (below zero). itß … diˈgriːs (biˈlou ˈsiərou).

198

Wetter: weitere Wörter

bewölkt	cloudy 'klaudi
Blitz	lightning 'laitning
Dämmerung *(abends)*	dusk daßk
Dämmerung *(morgens)*	dawn do:n
diesig	hazy 'häjsi
Donner	thunder 'θandə
feucht	damp dämp
frieren; es friert	to freeze; it's freezing fri:s; itß 'fri:sing
Frost	frost froßt
Glatteis	black ice bläk 'aiß
Grad	degrees di'gri:s
Hagel	hail häjl
heiter	bright brait
Hitze	heat hi:t
Hitzewelle	heatwave 'hi:twäjv
Hoch	high-pressure area hai'preschər_eəriə
klar	clear kliə
Klima	climate 'klaimət
kühl	cool ku:l
Luft	air eə
Luftdruck	barometric pressure bärə'metrik 'preschə
Mond	moon mu:n
nass	wet wet
Nebel	fog fog
Niederschläge	precipitation sg prəßipi'täjschn
Nieselregen	drizzle 'drisl
Regenschauer	shower 'schauə
regnerisch	rainy 'räjni
Schnee	snow ßnou
Sonne	sun ßan

Sonnenaufgang	sunrise 'ßanrais
Sonnenuntergang	sunset 'ßanßet
sonnig	sunny 'ßani
Stern	star ßta:
Sturm	storm; gale ßto:m, gäjl
stürmisch	stormy 'ßto:mi
tauen; es taut	to thaw; it's thawing θo:; itß 'θo:ing
Temperatur	temperature 'temprətschə
Tief	low-pressure area lou'preschər‿eəriə
trocken	dry drai
Unwetter	thunderstorm 'θandəßto:m
wechselhaft	variable 'veəriəbl
Wind	wind wind
Wolke	cloud klaud

Umweltbedingungen

🌑 Hier ist es sehr laut.
It's very loud here. itß 'veri 'laud hiə.

🌑 Können Sie diesen Lärm abstellen?
Could you please turn off this noise? kud‿ju pli:s 'tö:n‿of ðiß 'nojs?

Hier riecht es unangenehm.
It smells bad here. it 'ßmels 'bäd hiə.

Woher kommt dieser Geruch?
Where's that smell coming from? 'weəs‿ðät 'ßmel 'kaming from?

Ist das Wasser trinkbar?
Can you drink the water? kən‿ju 'drink ðə 'wo:tə?

Das Wasser/Die Luft ist verschmutzt.
The *water's/air's* polluted. ðə 'wo:təs/'eəs pə'lu:tid.

🌑 Ist das gefährlich?
Is that dangerous? is ðät 'däjndschərəß?

Grammatik

Der Artikel (Geschlechtswort)

Der **bestimmte Artikel** (der, die, das) lautet in der Einzahl und
Mehrzahl the:

the flight	der Flug
the time	die Zeit
the weather	das Wetter
the people	die Menschen

Vor einem Vokal (a, e, i, o, u) wird the [ði] ausgesprochen:

the office [ði‿ˈofiß]	das Büro

the steht hinter half und all und oft hinter both:

half the cake	der halbe Kuchen
all the children	alle Kinder
both (the) buses	beide Busse

Der **unbestimmte Artikel** (ein, eine, einem usw.) lautet vor
einem Konsonanten (Mitlaut) a und vor einem Vokal (Selbstlaut)
an. Auch vor Wörter, deren erster Buchstabe wie ein Vokal ausgesprochen wird, setzt man an:

a man	ein Mann
a hotel [ə‿houˈtel]	ein Hotel
an orange	eine Apfelsine
an hour [ən‿ˈauə]	eine Stunde

Vor hundred und thousand steht im Gegensatz zum Deutschen
der unbestimmte Artikel a bzw. zur Betonung one:

a hundred	hundert
a thousand	tausend

Der unbestimmte Artikel steht hinter half:

half an hour	eine halbe Stunde

Das Substantiv (Hauptwort)

Im Gegensatz zum Deutschen gibt es bei Berufsbezeichnungen u. dgl. generell keine männliche und weibliche Form. So heißt z. B. doctor sowohl Arzt als auch Ärztin. **Ausnahmen:**

actor/actress	Schauspieler/in
waiter/waitress	Kellner/in
prince/princess	Prinz/essin

Bildung des Plurals (Mehrzahl)

Die Mehrzahl wird meistens durch Anhängen von -s an die Einzahl gebildet:

train – trains	Zug – Züge
road – roads	Straße – Straßen
car – cars	Auto – Autos

Substantive, die auf -s, -ss, -sh, -ch oder -x enden, bekommen in der Mehrzahl ein -es am Ende:

bus – buses	Bus – Busse
switch – switches	Schalter – Schalter
box – boxes	Karton – Kartons

Dann gibt es noch folgende **unregelmäßige Pluralformen**, die man sich merken sollte:

sheep – sheep	Schaf – Schafe
fish – fish	Fisch – Fische
deer – deer	Reh – Rehe
foot – feet	Fuß – Füße
tooth – teeth	Zahn – Zähne
mouse – mice	Maus – Mäuse
child – children	Kind – Kinder
man – men	Mann – Männer

woman – women ['wimin]	Frau – Frauen
Englishman – Englishmen	Engländer – Engländer
(aber: German – Germans)	
wife – wives	Ehefrau – Ehefrauen
half – halves	Hälfte – Hälften
knife – knives	Messer – Messer usw.

Gewichte und Preise stehen im Englischen generell in der Mehrzahl:

four pounds ninety-nine	vier Pfund neunundneunzig (Pence)
two kilos of oranges	zwei Kilo Apfelsinen

Bildung des Genitivs (2. Fall)

Bei **Menschen und Tieren** fügt man in der Einzahl ein -'s an:

my mother's cousin	der Cousin/die Cousine meiner Mutter
the horse's tail	der Schwanz des Pferdes

Bei der **Mehrzahl** wird ein -s' hinzugefügt:

her brothers' names	die Namen ihrer Brüder
the girls' bicycles	die Fahrräder der Mädchen

Bei **Dingen** wird of vorangesetzt:

the end of the story	das Ende der Geschichte

Bei **Behältern u. ä.** nimmt man im Gegensatz zum Deutschen
of:

a box of matches	eine Schachtel Streichhölzer
a tin of sardines	eine Dose Sardinen
a pile of rubbish	ein Haufen Abfall

Die Pronomen (Fürwörter)

Personalpronomen (Persönliche Fürwörter)

Subjekt		Objekt	
I	ich	me	mich/mir
you	du; Sie	you	dich/dir; Sie/Ihnen
he	er	him	ihn/ihm
she	sie	her	sie/ihr
it	es; sie; er	it	es/ihm; sie/ihr; ihn/ihm
we	wir	us	uns
you	ihr; Sie	you	euch; Sie/Ihnen
they	sie *pl.*	them	sie/ihnen

Possessivpronomen (Besitzanzeigende Fürwörter)

Substantiviert:

my	mein usw.	mine	meins usw.
your	dein usw.; Ihr usw.	yours	deins usw.; Ihrs usw.
his	sein usw.	his	seins usw.
her	ihr usw.	hers	ihrs usw.
its	sein usw.; ihr usw.	its	seins usw.; ihrs usw.
our	unser usw.	ours	unsers usw.
your	euer usw.; Ihr usw.	yours	euers usw.; Ihrs usw.
their	ihr *pl.* usw.	theirs	ihrs *pl.* usw.

205

Demonstrativpronomen (hinweisende Fürwörter)

this	diese(r, -s)
these	diese
that	der/die/das (... da)
those	die (... da)

this/these deuten meistens auf etwas **näher Liegendes,**
that/those können auf etwas **entfernter Liegendes** deuten oder
sich auf etwas gerade Gesagtes beziehen.

Die Fragewörter

who ...?	wer ...?
who(m) ...?	wen/wem ...?
whose ...?	wessen ...?
what ...?	was ...?
which ...?	welche(r, -s) ...?
when ...?	wann ...?
where ...?	wo ...?
why ...?	warum ...?
how ...?	wie ...?

Das Adjektiv (Eigenschaftswort)

Einsilbige Adjektive werden mit -er/-est gesteigert, wobei
einem stummen End-e einfach -r/-st hinzugefügt wird und ein
einzelner Endkonsonant (b, d, f usw.) nach einem kurzen Vokal
(a, e, i, o, u) verdoppelt wird:

loud	louder	loudest	laut
wet	wetter	wettest	nass
nice	nicer	nicest	nett

Zweisilbige Adjektive auf -er, -le, -ow oder -y werden mit -er/-est gesteigert, wobei ein End-e entfällt und -y zu -i wird:

clever	cleverer	cleverest	gescheit
gentle	gentler	gentlest	sanft
narrow	narrower	narrowest	eng
happy	happier	happiest	glücklich
Ausnahme:			
eager	more eager	most eager	willig

Zweisilbige Adjektive, die nicht auf -er, -le, -ow oder -y enden, **drei- und mehrsilbige Adjektive** sowie Adjektive auf -ing oder -ed werden mit more und most gesteigert:

helpful	more helpful	most helpful	hilfreich
active	more active	most active	aktiv
idiotic	more idiotic	most idiotic	idiotisch
tired	more tired	most tired	müde

Dann gibt es die **unregelmäßigen Adjektive:**

bad	worse	worst	schlecht
good	better	best	gut
much	more	most	viel
many	more	most	viele
little	less	least	wenig
little	smaller	smallest	klein
far	further	furthest	weit

Das Adverb (Umstandswort)

Bildung des Adverbs

Adverbien werden meistens durch Anhängen von -ly an ein Adjektiv gebildet:

quickly	schnell
badly	schlecht
actively	aktiv

Besonderheiten:

-le wird zu -ly und -y zu -ily:

gentle – gently	sanft
happy – happily	glücklich

-ic wird zu -ically:

magic – magically	zauberhaft

Ausnahme:

public – publicly	öffentlich

Steigerung des Adverbs

Einsilbige Adverbien sowie early werden auf -er/-est gesteigert:

hard	harder	hardest	hart
early	earlier	earliest	früh

Mehrsilbige Adverbien (außer early) werden mit more/most gesteigert:

gladly	more gladly	most gladly	gern

Und die unregelmäßigen Adverbien:

well	better	best	gut
badly	worse	worst	schlecht

little	less	least	wenig
much	more	most	viel
far	further	furthest	weit

Das Verb (Zeitwort)

Die regelmäßigen Verben hängen in der Vergangenheit -(e)d an die Grundform (call – called, vote – voted), während die unregelmäßigen Verben ihren Stammvokal ändern. Hier die verschiedenen Formen von einigen der wichtigsten Verben:

be (sein)

einfache Gegenwart	present perfect
I'm (I am)	I've/you've/we've/they've been
you're (you are)	(I/you/we/they have been)
he's/she's/it's	he's/she's/it's been
(he/she/it is)	(he/she/it has been)
we're (we are)	
you're (you are)	
they're (they are)	

einfache Vergangenheit	Verlaufsform der Vergangenheit
I/he/she/it was	I/he/she/it was being
you/we/they were	you/we/they were being

2. Vergangenheit (Vorvergangenheit)

I'd/you'd usw. been
(I/you usw. had been)

will-Zukunft	future perfect
I'll (I will) usw. be	I'll (I will) usw. have been

Konditional	Konditional II
I'd (I would) usw. be	I'd (I would) usw. have been

have (haben)

einfache Gegenwart	Verlaufsform der Gegenwart
I/you/we/they have	I'm (I am) having
he/she/it has	you're (you are) having
als Hilfsverb:	he's (he is) having
I've/you've/we've/	I'm (I am) having
they've …	we're (we are) having
he's/she's/it's …	you're (you are) having
	they're (they are) having

have got:

I've/you've/we've/they've got
(I/you/we/they have got)
he's/she's/it's got
(he/she/it has got)

present perfect	Verlaufsform des present perfect
I've/you've/we've/they've had	I've/you've/we've/they've been having
(I/you/we/they have had)	(I/you/we/they have been having)
having)	
he's/she's/it's had	he's/she's/it's been having
(he/she/it has had)	(he/she/it has been having)

210

einfache Vergangenheit	Verlaufsform der Vergangenheit
I/you usw. had	I/he/she/it was having we/you/they were having

2. Vergangenheit	Verlaufsform der 2. Vergangen-heit
I'd/you'd usw. had (I/you usw. had had)	I'd/you'd usw. been having (I/you usw. had heen having)

will-Zukunft	Verlaufsform der will-Zukunft
I'll/you'll usw. have (I/you usw. will have)	I'll/you'll usw. be having (I/you usw. will be having)

future perfect	Verlaufsform des future perfect
I'll/you'll usw. have had (I/you usw. will have had)	I'll/you'll usw. have been having (I/you usw. will have been having)

Konditional	Verlaufsform des Konditional
I'd/you'd usw. have (I/you usw. would have)	I'd/you'd usw. be having (I/you usw. would be having)

Konditional II	Verlaufsform des Konditional II
I'd/you'd usw. have had I/you usw. would have had	I'd/you'd usw. have been having I/you usw. would have been having

211

do (tun, machen)

einfache Gegenwart	Verlaufsform der Gegenwart
I/you/we/they do he/she/it does	I'm (I am) doing you're (you are) doing he's usw. (he usw. is) doing we're (we are) doing you're (you are) doing they're (they are) doing

present perfect	Verlaufsform des present perfect
I've/you've/we've/ they've done (I/you/we/they have done) he's/she's/it's done (he/she/it has done)	I've/you've/we've they've been doing (I/you/we/they have been doing) he's/she's/it's been doing (he/she/it has been doing)

einfache Vergangenheit	Verlaufsform der Vergangenheit
I/you usw. did	I/he/she/it was doing we/you/they were doing

2. Vergangenheit	Verlaufsform der 2. Vergangenheit
I'd/you'd usw. done (I/you usw. had done)	I'd/you'd usw. been doing (I/you usw. had been doing)

will-Zukunft	Verlaufsform der will-Zukunft
I'll/you'll usw. do (I/you usw. will do)	I'll/you'll usw. be doing (I/you usw. be doing)

future perfect	Verlaufsform des future perfect
I'll/you'll usw. have done (I/you usw. will have done)	I'll/you'll usw. have been doing (I/you usw. will have been doing)

Konditional	Verlaufsform des Konditional
I'd/you'd usw. do (I/you usw. would do)	I'd/you'd usw. be doing (I/you usw. would be doing)

Reisewörterbuch
Deutsch – Englisch

A

ab off of; ~ **18 Uhr** from 6 p.m. frəm 'ßikß pi:'em
Abend evening 'i:vning
Abendessen dinner 'dinə,supper 'ßapə
Abendkasse box office 'bokß_ofiß
abends in the evening in ði_'i:vning
Abenteuer adventure əd'ventschə
aber but bat
abfahren to leave li:v
Abfahrt departure di'pa:tschə
abhängig (von) dependent (on) di'pendənt (on)
abholen to pick up pik_'ap
Abreise departure di'pa:tschə
abreisen to leave li:v
abschalten to switch off ßwitsch_'of
absichtlich on purpose on 'pö:rpəß, **deliberately** di'libərətli
Abteilung department di'pa:tmənt
abwesend absent 'äbßənt
abziehen to deduct di'dakt
Adapter adapter ə'däptə
addieren to add up äd_'ap
Adresse address ə'dreß
ähnlich similar 'ßimilə; **jemandem ~ sein** to be like someone bi: laik 'ßamwan
aktiv active 'äktiv,**actively** 'äktivli
Akzent accent 'äkßənt
alle everybody 'evribodi; **all** o:l
allein alone ə'loun
alleinstehend single 'ßingl

alles everything 'evriθing; **das ist ~** that's all ðätß 'o:l
allgemein general 'dschenrəl; **generally** 'dschenrəli
allmählich gradual 'grädschuəl; **gradually** 'grädschuəli
als than ðən; ~ **ob** as though əs 'ðou; ~ **ob** as if əs_if; (zeitlich) **when** wen
also so ßou
alt old ould
Alter age äjdsch
Altglascontainer bottle bank 'botl bänk
Ameise ant änt
Ampel (traffic) lights pl ('träfik) laitß
sich amüsieren to enjoy oneself in'dschoj wan'ßelf
an at ät; (auf) **on** on; (bei) **by** bai
anbieten to offer (to) 'ofə (tə)
Andenken souvenir ßu:və'niə
andere(r, -s) other 'aðə
ändern to change tschäjndsch; **sich ~** to change tschäjndsch
anders (als) different (from) 'difrənt (frəm)
Anfang beginning bi'gining
Anfänger beginner bi'ginə
anfordern to request ri'kweßt
angenehm pleasant 'plesnt
angezogen dressed dreßt
angreifen to attack ə'täk
Angst fear fiə; ~ **haben** be scared bi: 'ßkeəd
ankommen to arrive ə'raiv; **es kommt darauf an** it depends it di'pends
Ankunft arrival ə'raivl
sich anmelden to check in tschek_'in
annehmen to accept ə'kßept; (vermuten) **to assume** ə'ßju:m
ansehen to look at 'luk_ət
Ansicht view vju:; (Meinung) auch **opinion** ə'pinjən

Ansichtskarte postcard
'poußtka:d
anstatt instead of in'ßted_əv
antik antique än'ti:k
Antrag application äpli'käjschn
Antwort answer 'a:nßə
antworten to answer 'a:nßə
anwesend present 'presnt
Anzahlung deposit di'posit
Anzeige advertisement
əd'vö:tißmənt,ad äd
anziehen to dress dreß; **sich ~**
to dress dreß; **to get dressed**
get 'dreßt
Arbeit work wö:k
arbeiten to work wö:k
arbeitslos out of work aut_əv
'wö:k
Architekt architect 'a:kitekt
ärgerlich annoying ə'nojing
Argument argument 'a:gjumənt
arm poor po:
Art type taip,**kind** kaind,**sort**
ßo:t; (Weise) way wäj
Aschenbecher ashtray 'äschträj
Atem breath breθ
atmen to breathe bri:ð
auch also 'o:lßou,**too** tu:
auf on on,**onto** 'ontə
aufbewahren to keep ki:p
Aufenthalt stay ßtäj
Aufführung performance
pə'fo:mənß
aufgeben to give up giv_'ap;
(einreichen) **to hand in**
händ_'in
aufgeregt excited ik'ßaitid
aufhören to stop ßtop; **~,**
etwas zu tun to stop doing
something ßtop 'du:ing
'ßamθing
aufmachen to open 'oupən
aufpassen to be careful bi:
'kеəfl; **~ auf** to look after
luk_'a:ftə
aufregend exciting ik'ßaiting

aufschreiben to write down
rait_'daun
aufstehen to get up get_'ap
aufwachen to wake up
wäjk_'ap
Aufzug lift lift
Augenblick moment 'moumənt;
einen ~! just a moment
dschaßt_ə 'moumənt; **im ~** at
the moment ət ðə 'moumənt
aus adj off of; adv out of 'aut_əv
auseinander apart ə'pa:t
Ausflug excursion ik'ßkö:schn,
trip trip
ausführlich adj detailed 'di:täjld;
adv in detail in 'di:täjl
Ausgang exit 'ekßit
ausgeben to spend ßpend
ausgebucht fully booked fuli
'bukt; **full** ful
ausgehen to go out gou_'aut
ausgezeichnet excellent
'ekßələnt
Ausländer foreigner 'forənə
ausländisch foreign 'forən
ausleihen to hire haiə
ausmachen (vereinbaren) to
arrange ə'räjndsch
auspacken to unpack an'päk
sich ausruhen to rest reßt
Aussage statement 'ßtäjtmənt
Aussehen appearance ə'piərənß
außen (on the) outside (on ði)
_aut'ßaid
außer except (for) ik'ßept (fə)
außerdem besides bi'ßaids
außergewöhnlich adj unusual
an'ju:schuəl; adv remarkably
ri'ma:kəbli
außerhalb outside aut'ßaid; out
of 'aut_əv
äußerlich external ik'ßtö:nl;
externally ik'ßtö:nli
Aussicht view vju:
aussteigen to get off get_'of; **to**
get out get_'aut

215

Ausstellung exhibition
ekßi'bischn

ausverkauft sold out ßould 'aut

aus (von) from; (vorbei)
over 'ouvə

Auswahl choice tschojß

Ausweis ID (card) ai'di: (ka:d)

ausziehen (Kleidung) to take
off tájk_'of

B

Bad bath ba:θ; (ezimmer)
bathroom 'ba:θru:m

baden to swim ßwim,to go
swimming gou 'ßwiming; (im
Bad) to have a bath häv_ə
'ba:θ

bald soon ßu:n

Balkon balcony 'bälkəni

Ball ball bo:l

Bank bank bänk; (Sitzbank)
bench bentsch

bar cash käsch

Bart beard biəd

Batterie battery 'bätəri

Baum tree tri:

beabsichtigen to intend in'tend

Beanstandung complaint
kəm'plájnt

beantworten to answer 'a:nßə

Becher mug mag

bedauern to regret ri'gret

bedeuten to mean mi:n

bedienen to serve ßö:v; sich ~
to help oneself helß wan'ßelf

Bedingung condition kən'dischn;
unter der ~, dass on
condition that on kən'dischn
ðət

beenden to end end

befestigen to attach ə'tätsch

begegnen to meet mi:t

Beginn start ßta:t

beginnen to start ßta:t

begleiten to accompany
ə'kampəni

begrüßen to welcome 'welkəm,
to greet gri:t

behalten to keep ki:p

behandeln to treat tri:t; (Sache)
to deal with 'di:l_wið

behaupten to claim kläjm

bei at ät

beide both bouθ; alle ~ both of
them 'bouθ_əv ðem

beinahe almost 'o:lmoußt

Beispiel example ig'sa:mpl; als ~
as an example əs_ən ig'sa:mpl;
zum ~ for example
fər_ig'sa:mpl

beißen to bite bait

bekannt well-known wel'noun

bekommen to get get

beliebt popular 'popjulə

bemerken to notice 'noutiß;
(sagen) to remark ri'ma:k

benachrichtigen to let
(someone) know let
('ßambadi) 'nou

sich benehmen to behave
(properly) bi'häjv ('propəli)

benutzen to use ju:s

Benutzungsgebühr (hire)
charge ('haiə) tscha:dsch

beobachten to watch wotsch

bequem comfortable 'kamftəbl

Berg mountain 'mauntin

berichten to report ri'po:t

Beruf profession prə'feschn

berühmt famous fäjməß

berühren to touch tatsch

beschäftigt busy 'bisi

beschreiben to describe
di'ßkraib

beschützen to protect prə'tekt

sich beschweren to complain
kəm'plájn

Besen broom bru:m

besetzt (Leitung) engaged
in'gäjdschd; (Platz) taken 'täjkən

216

besichtigen to visit 'vizit
Besichtigung (sightseeing) tour ('ßaitßi:ing) tuə, **visit** 'vizit
besitzen to own oun
besonders particular pə'tikjulə, **specially** 'ßpeschəli
besorgt worried 'warid
besprechen to discuss di'ßkaß
besser better 'betə
bestätigen to confirm kən'fö:m
Besteck cutlery 'katləri
bestellen to order 'o:də
Bestellung order 'o:də
beste(r, -s) best beßt
bestimmt definite 'definit, **definitely** 'definitli
Besuch visit 'vizit
besuchen to visit 'vizit, **to go to** gou tə
Besucher visitor 'vizitə
Beton concrete 'konkri:t
Betrag amount ə'maunt
betrunken drunk drank
Bett bed bed; **ins ~ gehen** to go to bed gou tə 'bed
Bettwäsche bed linen 'bed linən
bevor before bi'fo:
bewegen to move mu:v; **sich ~** to move mu:v
Beweis proof pru:f
bezahlen to pay (for) 'päj_(fə)
Bezahlung payment 'päjmənt
Biene bee bi:
Bild picture 'piktschə
Bildhauer sculptor 'ßkalptə
billig cheap tschi:p
binden to tie tai
Bindfaden string ßtring
bis until ən'til,**till** til,(örtlich) **as far as** əs 'fa:r_əs
bisher so far ßou 'fa:
bisschen a little ə 'litl,**ein ~ a bit (of)** ə 'bit_(əv)
bitte please pli:s,(gern geschehen) **you're welcome** jo: 'welkəm,(macht nichts) **that's all**

right 'ðätß o:l 'rait,**~? sorry?** 'ßori?; **pardon?** 'pa:dn?
Bitte request ri'kweßt
bitten to ask a:ßk
blasen to blow blou
blass pale päjl
Blatt leaf li:f; **ein ~ Papier** a sheet of paper ə 'schi:t_əv 'päjpə
bleiben to stay ßtäj
Bleistift pencil 'penßl
Blick look luk
blicken (auf) to look (at) 'luk_(ət)
Blume flower 'flauə
Boden ground graund; (innen) **floor** flo:
borgen to borrow 'borou; (leihen) **to lend** lend
böse (Kind) naughty 'no:ti; (wütend) **angry** 'ängri
Brand fire 'faiə
brauchen to need ni:d
brechen to break bräjk
breit wide waid
brennen to burn bö:n
Brief letter 'letə
Briefmarke (postage) stamp ('poußtidsch) ßtämp
Briefpapier writing paper 'raiting pajpə
Brieftasche wallet 'wolit
Briefumschlag envelope 'envələup
Brille glasses pl 'gla:ßis
bringen to bring bring; (irgendwohin) **to take** täjk
britisch British 'british
Brücke bridge bridsch
Bruder brother 'braðə
Buch book buk
Buchstabe letter 'letə
Buchung booking 'buking, **reservation** resə'väjschn
Büro office 'ofiß

C

Café café 'käfäj
Cousin cousin 'kasn
Cousine cousin 'kasn

D

da there ðeə
Dach roof ru:f
dagegen against it ə'genßt_it
daher that's why 'ðätß wai
damals then ðen,at that time ət
  'ðät taim
Dame lady 'läjdi
damit so that ßou 'ðät
danach afterwards 'a:ftəwəds
Dank thanks pl θänkß
dankbar grateful 'gräjtfl
danke thank you 'θänk_ju
dann then ðen
das the ðə; pron which witsch,
  that ðät
dass that ðät
dasselbe the same ðə 'ßäjm
Datum date däjt
dauern to last la:ßt; (Zeit
  beanspruchen) to take täjk
Decke blanket 'blänkit; (im Haus)
  ceiling 'ßi:ling
dein your jo:,~e your jo:
denken to think θink
deutlich clear kliə; clearly 'kliəli
deutsch German 'dschö:mən
Deutschland Germany
  'dschö:məni
Dia slide ßlaid
dich you ju:; yourself jo:'ßelf
dicht thick θik
Dichter poet 'pouit
dick thick θik; (Person) fat fät
die the ðə; pron who hu:,which
  witsch,that ðät
dieser this (one) 'ðiß (wan)
Ding thing θing

dir (to) you (tə) 'ju:
direkt direct də'rekt; directly
  də'rektli; straight ßträjt
Dorf village 'vilidsch
dort there ðeə
Dose tin tin
Dosenöffner tin opener 'tin
  oupənə
Draht wire 'waiə
draußen outside aut'ßaid
drehen to turn tö:n
dringend urgent 'ö:dschənt
drinnen inside in'ßaid
Droge drug drag
drücken to press preß; (Tür) to
  push pusch
du you ju:
dumm stupid 'ßtju:pid
dunkel dark da:k
dünn thin θin
durch through θru:
durchschnittlich adj average
  'ävəridsch; adv on average on
  'ävəridsch
dürfen to be allowed bi: ə'laud;
  darf ich? may I? 'mäj_ai?
Durst thirst θö:ßt; ~ **haben** to
  be thirsty bi: 'θö:ßti
Dusche shower 'schauə
duschen to (have a) shower
  (häv_ə) 'schauə

E

Ebbe low tide lou 'taid
eben flat flät,level 'levl; (zeitlich)
  just dschaßt
echt genuine 'dschenjuin
Ecke corner 'ko:nə
egal: es ist mir egal I don't
  mind ai dount 'maind
Ehe marriage 'märidsch
Ehefrau wife waif
Ehemann husband 'hasbənd
eigener own oun

218

Reisewörterbuch

eigentlich actually
ˈäktschuəli
Eimer bucket ˈbakit
ein(e) one wan,a ə,**an** ən
eine(r, -s) one wan
einfach simple ˈßimpl; (leicht)
easy ˈiːsi
Eingang entrance ˈentrənß
einige a few ə ˈfjuː; some ßam
sich einigen auf to agree on
əˈgriːˍon
einkaufen to buy bai
einladen to invite inˈvait
Einladung invitation inviˈtäjschn
einmal once wanß; (irgendwann)
some time ˈßam taim
einpacken to pack (up) päkˍ
(ˈap),**to wrap (up)** räpˍ(ˈap)
einsam lonely ˈlounli
einschalten to switch on
ßwitschˍˈon
einsteigen to get on getˍˈon, **to
get in** getˍˈin
eintreten to come in kamˍˈin
Eintritt admission ədˈmischn
einzig only ˈounli
Empfang reception riˈßepschn
empfehlen to recommend
rekəˈmend
Empfehlung recommendation
rekəmenˈdäjschn
Ende end end
endlich at last ət ˈlaːßt
eng narrow ˈnärou; (Kleidung)
tight tait
England England ˈinglənd
englisch English ˈinglisch
Enkel grandson ˈgränßan
Enkelin granddaughter
ˈgrändoːtə
Ente duck dak
entfernen to remove riˈmuːv
enthalten to contain kənˈtäjn
entlang along əˈlong
sich entscheiden to decide
diˈßaid

sich entschuldigen to apologize
əˈpolədschais
Entschuldigung apology
əˈpolədschi; (Ausrede) **excuse**
ikˈßkjuːs; **~! sorry!** ˈßori!
entweder … oder either … or
ˈaiðə … oː
er he hi:
Erde earth öːθ; **soil** ßojl
Erdgeschoss ground floor
graund ˈfloː
erfahren v to experience
ikˈßpiəriənß
erfahren adj experienced
ikˈßpiəriənßt
erfolgreich successful ßəkˈßeßfl
Erfrischungen refreshments
riˈfreschməntß
erhalten to receive riˈßiːv
erinnern to remind riˈmaind;
sich ~ to remember riˈmembə
Erinnerung memory ˈmeməri
erklären to explain ikˈßpläjn
erlauben to allow əˈlau
Ermäßigung concession
kənˈßeschn,**discount** ˈdißkaunt
ernst serious ˈßiəriəß
erreichen reach riːtsch; (Zug
usw.) **catch** kätsch
erscheinen to appear əˈpiə
erste(-r, -s) first föːßt
Erwachsene f adult ˈädalt,**~r**
adult ˈädalt
erwähnen to mention ˈmenschn
erwarten to expect ikˈßpekt
es it it
Essen food fuːd,**to eat** iːt
Esslöffel tablespoon ˈtäjblßpuːn
Etage floor floː
etwas something ˈßamθing; (ein
wenig) **some** ßam
euch (to) you (tə) ˈjuː
euer your joː,**eure** your joː
Euro euro ˈjuərou

Fabrik factory 'fäktəri
Fähre ferry 'feri
fahren to go gou; (*Auto*) to drive draiv; (*Fahrrad*) to ride raid
Fahrer driver 'draivə
Fahrkarte ticket 'tikit
Fahrplan timetable 'taimtäjbl
Fahrrad bicycle 'baißikl
Fahrt journey 'dschö:ni; (*Autofahrt*) ride raid
Fahrzeugpapiere vehicle documents 'vi:ikl dokjuməntß
falls in case in 'käjß
falsch wrong rong
Familie family 'fämli
fangen to catch kätsch
Fantasie imagination imädschi'näjschn
Farbe colour 'kalə
farbig colourful 'kaləfl
fassen to grasp gra:ßp
fast almost 'o:lmoußt
fegen to sweep ßwi:t
fehlen to be missing bi: 'mißing
Fehler mistake mi'ßtäjk
Feiertag bank holiday bänk 'holədäj, public holiday pəhlik 'holədəj
Feld field fi:ld
Felsen rock rok; (*Klippe*) cliff klif
Fenster window 'windou
Ferien holidays *pl* 'holədäjs
Fernseher TV ti:'vi:
fertig ready 'redi; (*vollbracht*) finished 'finischt
fest firm fö:m, solid 'ßolid
fettig greasy 'gri:si
feucht damp dämp
Feuerzeug lighter 'laitə
Film film film
finden to find faind
Firma company 'kampəni
Fisch fish fisch

Fitnesscenter gym dschim
flach flat flät
Flasche bottle 'botl
Flaschenöffner bottle opener 'botl oupənə
Fleck stain ßtäjn
Fliege fly flai
fliegen to fly flai
Flur hall ho:l
Fluss river 'rivə
Flut high tide hai 'taid
Föhn hairdryer 'heədraiə
folgen to follow 'folou
Formular form fo:m
Fotografie photography fə'togrəfi
fotografieren to take photographs täjk 'foutəgra:fß
Frage question 'kweßtschən
fragen to ask a:ßk
Frau woman 'wumən; (*Ehefrau*) wife waif
frech cheeky 'tschi:ki
frei free fri:; (*Straße*) clear kliə
fremd strange ßträjndsch; (*ausländisch*) foreign 'forən
Fremdenführer tourist guide 'tuərißt gaid
sich freuen to be pleased bi: 'pli:sd; ~ auf to look forward to luk 'fo:wəd tə
Freund friend frend; (*Partner*) boyfriend 'bojfrend
Freundin friend frend; (*Partner*) girlfriend 'gö:lfrend
freundlich friendly 'frendli; (*hilfreich*) kind kaind
frisch fresh fresch
Friseur hairdresser 'heədreßə
früh early 'ö:li
Frühstück breakfast 'brekfaßt
frühstücken to have breakfast häv 'brekfəßt
fühlen to feel fi:l
Führerschein driving licence 'draiving laißnß

füllen to fill (up) fil_('ap)
funktionieren to work wö:k
für for fo:
fürchten to be afraid of bi:
ə'fräjd_əv; **sich ~** to be afraid
bi: ə'fräjd
fürchterlich dreadful
'dredfl
Fußgänger pedestrian
pə'deßtriən
Fußgängerzone pedestrian
zone pə'deßtriən soun

G _____

Gabel fork fo:k
ganz whole houl; (ziemlich)
quite kwait
gar nicht not at all not_ət_'o:l
Garten garden 'ga:dn
Gast guest geßt
Gastgeber host 'houßt; **~in**
hostess 'houßtiß
Gebäude building 'bilding
geben to give giv
Gebirge mountains 'mauntins
geboren born bo:n; **ich bin am
... ~ I was born on ...** ai wəs
'bo:n on ...
Gebühr charge tscha:dsch
Geburtstag birthday 'bö:θdäj
Gedanke thought θo:t
geduldig patient 'päjschnt
geeignet suitable 'ßu:təbl
Gefahr danger 'däjndschə
gefährlich dangerous
'däjndschərəß
gegen against ə'genßt; (in
Richtung) towards tə'wo:ds
Gegend area 'eəriə
Gegenstand object 'obdschekt
Gegenteil opposite 'opəßit; **im ~
on the contrary** on ðə 'kontrəri
geheim secret 'ßi:krət
Geheimnis secret 'ßi:krət

gehen to walk wo:k;
(irgendwohin) to go gou
jemandem gehören to belong
to somebody bi'long tə
'ßambadi
Gelächter laughter 'la:ftə
Geld money 'mani
gelingen to succeed ßək'ßi:d
gelten to be valid bi: 'välid
gemein mean mi:n
genau exact ig'säkt, **exactly**
ig'säktli
genießen to enjoy in'dschoj
genug enough i'naf
geöffnet open 'oupən
Gepäck luggage 'lagidsch
gerade straight ßtrajt; (zeitlich)
just dschaßt
Gerät appliance ə'plaiənß
Geräusch noise nojs, **sound**
ßaund
Gericht dish disch; (jur.) court
ko:t; (Mahlzeit) meal mi:l
gern willingly 'wilingli; **~ haben**
to like laik
Geruch smell ßmel
geschäftlich business 'bisnəß
Geschäftsführer manager
'mänidschə
geschehen to happen 'häpən
Geschenk present 'presnt
Geschichte history 'hißtəri;
(Erzählung) story 'ßto:ri
geschieden divorced di'vo:ßt
Geschirr crockery 'krokəri
geschlossen closed klousd
Geschwindigkeit speed ßpi:d
Gesetz law lo:
gesperrt locked lokt
Gespräch conversation
konvə'ßäjschn
gestern yesterday 'jeßtədäj
Getränk drink drink
getrennt separate 'ßeprət,
separately 'ßeprətli
Gewicht weight wäjt

gewinnen to win win
gewiss certain 'ßö:tn,**certainly** 'ßö:tnli
sich gewöhnen an to get used to get 'ju:sd_tə
gewöhnlich usual 'ju:ʒuəl, **usually** 'ju:ʒuəli; (*normal*) **ordinary** 'o:dnri
gießen to pour po:
giftig poisonous 'pojsnəß
Glas glass gla:ß
glatt smooth ßmu:ð
glauben (an) to believe (in) bi'li:v_(in); **glauben** (*meinen*) to think θink
gleich *adj* same ßäjm; (*bald*) **in a minute** in_ə 'minit
Glocke bell bel
Glück happiness 'häpinəß; **~ haben** to be lucky bi: 'laki
glücklich lucky 'laki,**fortunate** 'fo:tschnət; (*froh*) **happy** 'häpi
Glühbirne (light) **bulb** ('lait) balb
Gottesdienst (church) **service** ('tschö:tsch) sö:viß
Gras grass gra:ß
gratulieren (zu) to congratulate (on) kən'grätschuläjt_(on)
grob rough raf,**coarse** ko:ß
groß big big,**large** la:dsch
großartig marvellous 'ma:vələß
Größe size ßais
Großmutter grandmother 'gränmaðə
Großstadt (big) **city** (big) 'ßiti
Großvater grandfather 'gränfa:ðə
großzügig generous 'dschenrəß
Grund reason 'ri:sn; (*Erde*) **ground** ground
Gruppe group gru:p
Gruß greeting 'gri:ting; **einen schönen ~ an … give … my regards** giv … mai ri'ga:ds
gucken to look luk

gültig valid 'välid
gut *adj* good gud,*adv* **well** wel

H

Haartrockner hairdryer 'heədraiə
haben to have häv; **ich hätte gern I'd like** aid 'laik
Hahn cock(erel) 'kok(ərəl); (*Wasserhahn*) **tap** täp
Haken hook huk
halb half ha:f; **eine ~e Stunde half an hour** 'ha:f_ən_'auə
Hälfte half ha:f
halten (*aufhalten*) to stop ßtop; (*in der Hand*) to hold hould
Haltestelle stop ßtop
Hammer hammer 'hämə
Handgepäck hand luggage 'händ lagidsch
Handtasche handbag 'händbäg
Handtuch towel 'tauəl
hängen to hang häng
hart hard ha:d
hässlich ugly 'agli
häufig frequent 'fri:kwənt, **frequently** 'fri:kwəntli
hauptsächlich mainly 'mäjnli
Hauptsaison peak season 'pi:k ßi:sn,**main season** mäjn 'ßi:sn
Hauptstraße main street 'mäjn ßtri:t
Haus house hauß; **nach ~e home** houm; **zu ~ at home** ət 'houm
heiraten to marry 'märi
heiß hot hot
heißen to be called bi: 'ko:ld; **wie heißt du? what's your name?** 'wotß jo 'näjm?
Heizung heating 'hi:ting
helfen to help help
hell light lait
herab down daun
heraus out aut

Reisewörterbuch

herein in in; **~!** come in! kam 'in!
Herr man män,gentleman 'dschentlmən
herrlich marvellous 'ma:vələß
herstellen to produce prə'dju:ß
herum (a)round (ə)'raund
heute today tə'däj; **~ Abend** tonight tə'nait; **~ Morgen** this morning ðiß 'mo:ning
hier here hiə
hierher this way 'ðiß wäj,over here ouvə 'hiə
Hilfe help help; **zu ~!** help! help!
Himmel sky ßkai
hinauf up ap
hinaus out aut
hinein in in
hinten at the back ət ðə 'häk
hinter behind bi'haind
hinunter down daun
Hitze heat hi:t
hoch high hai,tall to:l
Hochzeit wedding 'weding
hoffen to hope houp
hoffentlich hopefully 'houpfli,I hope (so) ai 'houp (ßou)
Hoffnung hope houp
höflich polite pə'lait,courteous 'kö:tiəß
Höhe height hait
hohe(r, -s) high hai,tall to:l
holen to fetch fetsch
Holz wood wud; **aus ~** made of wood 'mäjd_əv 'wu:d,**aus ~** wooden 'wudn
hören to hear hiə
Hotel hotel hou'tel
Hotelverzeichnis list of hotels 'lißt_əv hou'tels
hübsch nice naiß,pretty 'priti
Hügel hill hil
Huhn chicken 'tschikin
Hund dog dog
Hunger hunger 'hangə; **~ haben** to be hungry bi: 'hangri
hungrig hungry 'hangri

I

ich I ai
Idee idea ai'diə
ihm (to) him (tə) 'him
ihn him him
Ihnen (to) you (tə) 'ju:
ihr pl you ju:,sg (to) her (tə) 'hö:
Ihr your jo:,**~e** your jo:
Illustrierte magazine mägə'si:n
immer always o:lwäjs; **~ noch** still ßtil; **~ wieder** time and again 'taim_ənd ə'gen
in in in,into 'intu
inbegriffen included in'klu:did
Information information infə'mäjschn
Informationsschalter informa- tion desk infə'mäjschn deßk
Ingenieur engineer endschi'niə
Inhalt contents 'kontəntß
Inhaltsverzeichnis table of con- tents 'täjbl_əv 'kontəntß
innen (on the) inside (on ði_in'ßaid)
Innenstadt town centre taun 'ßentə,city centre ßiti 'ßentə
innerhalb within wið'in; **~ von** within wið'in
Insekt insect 'inßekt
Insel island 'ailənd
insgesamt altogether o:ltə'geðə
intelligent intelligent in'telidschənt
interessant interesting 'intrəßting
sich interessieren für to be interested in bi: 'intrəßtid_in
inzwischen in the meantime in ðə 'mi:ntaim
irgendein some ßam,any 'eni
irgend etwas anything 'eniθing
irgendwo somewhere 'ßamweə, anywhere 'eniweə

223

irisch Irish 'airisch
Irland Ireland 'aiələnd
ironisch ironic ai'ronik

J

ja yes jeß
Jahr year jiə
Jahrhundert century 'ßentschəri
jedenfalls anyway 'eniwäj
jede(r, s) each i:tsch,every 'evri
jedoch however hau'evə
jemand somebody 'ßambodi,
  anybody 'enibodi
jene(r, s) that ðät
jetzt now nau
joggen to jog dschog,to go
  jogging gou 'dschoging
jung young jang
Junge boy boj

K

Kalender calendar 'käləndə
kalt cold kould; **mir ist ~** I'm
  cold aim 'kould
Kanal canal kə'näl
kaputt broken 'broukən
Karriere career kə'riə
Karte (Fahrkarte) ticket 'tikit;
  (Landkarte) map mäp
Karton (cardboard) box
  ('ka:dbo:d) bokß
Kasse cash desk 'käsch deßk;
  (Theater) box office 'bokß_ofiß
Kater tomcat 'tomkät
Katze cat kät
kaufen to buy bai
kaum hardly 'ha:dli
kein no nou
keine(r, -s) none nan; (niemand)
  nobody 'noubodi
keineswegs not at all
  not_ət_'o:l

kennen to know nou; **~lernen**
  to get to know get_tə 'nou
Kenntnisse knowledgesg
  'nolidsch
Kerze candle 'kändl
Kilometer kilometre 'kiləmi:tə
Kind child tschaild
Kirche church tschö:tsch
Kissen cushion 'kuschn;
  (Kopfkissen) pillow 'pilou
klar clear kliə
Klasse class kla:ß
Klavier piano pi'änou
klein small ßma:l
Kleingeld (small) change
  (ßma:l) 'tschäjndsch
klettern to climb klaim
Klimaanlage air conditioning
  'eə kən'dischning
Klingel bell bel
klingeln to ring the bell ring ðə
  'bel
klopfen to knock nok
klug clever 'klevə
Kneipe pub pab
Knopf button 'batn
kochen to cook kuk
Koffer (suit)case ('ßu:t)käjß
komisch funny 'fani
kommen to come kam
Komponist composer
  kəm'pousə
König king king
Königin queen kwi:n
königlich royal 'rojəl
können to be able to bi: 'äjbl tə
Kopie copy 'kopi
kopieren to copy 'kopi; **foto~** to
  (photo)copy ('foutou)kopi
Korb basket 'ba:ßkit
Korken cork ko:k
Korkenzieher corkscrew
  'ko:kßkru:
kosten to cost koßt; **was kostet
  das?** how much is it? hau
  'matsch_is_'it?

kostenlos free (of charge) fri:_ (əv 'tscha:dsch)
Krach noise nojs; (*laut*) crash kräsch; **~ machen** to make a noise mäjk_ə 'nojs
Kraft strength ßtrength
kräftig strong ßtrong
Kreis circle 'ßö:kl
Kreuzung crossroads *pl* 'kroßrouds
Krieg war wo:
kritisieren to criticize 'kritißais
Küche kitchen 'kitschən
Kugelschreiber (ballpoint) pen ('bo:lpojnt) 'pen
Kuh cow kau
kühl cool ku:l
Kühlschrank fridge fridsch
sich kümmern um to see to 'ßi:_tə
Kunde customer 'kaßtəmə
Kunst art a:t
Künstler artist 'a:tißt
künstlich artificial a:ti'fischl
Kurs course ko:ß; (*Währungskurs*) exchange rate ikß'tschäjndsch räjt
kurz short scho:t
Kurzwelle short wave 'scho:t wäjv
Kuss kiss kiß
Küste coast koußt

L

lächeln to smile ßmail
lachen to laugh la:f
Lamm lamb läm
Lampe lamp lämp
Land country 'kantri; **auf dem ~e** in the country in ðə 'kantri
landen to land länd
Landschaft countryside 'kantrißaid; **landscape** 'ländßkäjp

Landstraße country road kantri 'roud
lang long long
Länge length lengθ
langsam slow ßlöu, **slowly** 'ßlouli
sich langweilen to be bored bi: 'bo:d
langweilig boring 'bo:ring
Langwelle long wave 'long wäjv
Lärm noise nojs
lassen leave li:v; (*erlauben*) let let
laufen to walk wo:k; (*rennen*) to run ran
laut loud laud; (*lärmend*) noisy 'nojsi
Leben life laif
leben to live liv
lebhaft lively 'laivli
Leder leather 'leðə
leer empty 'empti
legen to lay läj
leicht light lait; (*nicht schwierig*) easy 'i:si
leid: es tut mir leid I'm sorry aim 'ßori
leiden to suffer 'ßafə
leider unfortunately an'fo:tschənətli
leihen to hire out haiər_'aut; **sich ~** to borrow 'borou
Leihgebühr hire charge 'haiə tscha:dsch
leise quiet 'kwaiət, **quietly** 'kwaiətli
lernen to learn lö:n
lesen to read ri:d
letzte(r, -s) last la:ßt
Leute people 'pi:pl
Licht light lait
lieb kind kaind, sweet ßwi:t
Liebe love lav
lieben to love lav
lieber: ich würde lieber ... I'd rather ... aid 'ra:ðə ...

225

Lied song ßong
liegen to lie laı
Linie line laın
links to the left tə_ðə 'left,**on the left** on ðə 'left
Linkshänder left-hander left'händə; **~ sein** to be left-handed bi: left'händid
Liste list lißt
Loch hole houl
locker loose lu:ß
Löffel spoon ßpu:n
Lohn wage 'wäjdsch,**wages** pl 'wäjdschis
Lokal pub pab
lösen to solve ßolv
Lösung solution ßə'lu:schn
Luft air eə
lügen to lie laı
lustig funny 'fani
Luxus luxury 'lakschəri

M

machen to do du:; **Urlaub ~ to go on holiday** tə gou_on 'holədäj; (herstellen) **to make** mäjk; **das macht nichts** it doesn't matter it dasnt 'mätə
Mädchen girl gö:l
Mahlzeit meal mi:l
Mal: dieses Mal this time 'ðiß taim; **nächstes Mal** next time 'nekßt taim
malerisch picturesque piktschə'reßk
man one wan
manche some (people) ßəm ('pi:pl)
manchmal sometimes 'ßamtaims
Mann man män; (Ehemann) **husband** 'hasbənd
männlich male mäjl; (Wesen) **masculine** 'mäßkjulin

Marke type taip; (Automarke) **make** mäjk
Markt market 'ma:kit
Marktplatz market place 'ma:kit pläjß
Maschine machine mə'schi:n
Maß measurement 'meschəmənt
Massage massage 'mäßa:sch
Maßstab (Kartenmaßstab) **scale** ßkäjl; (Richtlinie) **standard** 'ßtändəd
Material material mə'tiəriəl
Matratze mattress 'mätrəß
Mauer wall wo:l
Maus mouse mauß
Meer sea ßi:,**ocean** 'ouschn
Meerwasser seawater 'ßi:wo:tə
mehr more mo:; **nicht ~ no more** nou 'mo:
mehrere several 'ßevrəl
Mehrwertsteuer VAT vi:äj'ti:, vät
Meile mile mail
mein(e) my mai
meinen to think θink; (sagen wollen) **to mean** mi:n
meinetwegen I don't mind ai dount 'maind
Meinung opinion ə'pinjən
meist most moußt; **das ~e most of it** 'moußt_əv_it
melden to report ri'po:t; **sich ~** (am Telefon) **to answer** 'a:nßə
Menge amount ə'maunt; **eine ~ a lot** ə 'lot
Mensch person 'pö:ßn; **kein ~ nobody** 'noubodi; **die ~en people** 'pi:pl
menschlich human 'hju:mən
Mentalität mentality men'täləti
merken to notice 'noutiß; **sich ~ to remember** ri'membə
Merkmal characteristic kärəktə'rißtik
merkwürdig strange ßträjndsch
messen to measure 'meschə
Messer knife naif

Metall metal 'metl
Meter metre 'mi:tə
MEZ Central European Time
  'ßentrəl juərə'pi:ən 'taim
mich me mi:,**myself** mai'ßelf
Miete rent rent
mieten (Auto usw.) to hire 'haiə;
  (Wohnung usw.) to rent rent
mild mild maild
Millimeter millimetre 'milimi:tə
minderjährig underage
  andə'äjdsch
mindestens at least ət 'li:ßt
Ministerium ministry 'minißtri
minus minus 'mainəß
Minute minute 'minit
mir (to) me (tə) 'mi:
mischen to mix mikß
Mischung mixture 'mikßtschə
Missverständnis misunder-
  standing mißandə'ßtänding
missverstehen to misunder-
  stand mißandə'ßtänd
mit with wiδ
mitbringen bring (along) bring
  (ə'long)
Mitglied member 'membə
Mitgliedskarte membership
  card 'membəschip ka:d
Mitleid pity 'piti
mitmachen to join in dschojn_'in
mitnehmen to take along
  täjk_ə'long
Mittag midday mid'däj
Mittagessen lunch lantsch
mittags at midday ət mid'däj
Mitte centre 'ßentə,**middle**
  'midl
Mitteilung announcement
  ə'naunßmənt
Mittel means mi:ns; (Heilmittel)
  remedy 'remədi
mittelmäßig mediocre
  mi:di'oukə
Mittelwelle medium wave
  'mi:diəm wäjv

Mitternacht midnight 'midnait,
  um ~ at midnight ət 'midnait
Möbel furniture 'fö:nitschə
möbliert furnished 'fö:nischt
Mode fashion fäschn
modern modern 'modən
modisch fashionable 'fäschnəbl
mögen to like laik; **ich mag
  nicht** I don't want to ai dount
  'wont_tə
möglich possible 'poßəbl; **~st
  schnell** as quickly as possible
  əs 'kwikli_əs 'poßibl
Möglichkeit possibility
  poßə'biləti
Moment moment 'moumənt;
  einen ~! just a moment
  dschaßt_ə 'moumənt
Monat month manθ
monatlich monthly 'manθli
Monatskarte monthly ticket
  manθli 'tikit
Mond moon mu:n
Morgen morning 'mo:ning
morgen tomorrow tə'morou;
  ~ früh tomorrow morning
  tə'morou mo:ning
morgens in the morning in δə
  'mo:ning
Motor motor 'moutə; (im Auto)
  engine 'endschin
Mücke mosquito mə'ßki:tou
müde tired 'taiəd
Mühe effort 'efət; **nicht der
  ~ wert** not worth the effort
  not 'wö:θ_δi_'efət
Müll rubbish 'rabisch
Mülleimer (rubbish) bin
  ('rabisch) bin
Mülltonne dustbin 'daßtbin
Mündung mouth mauθ
Münzautomat slot machine
  'ßlot mə'schi:n
Münze coin kojn
Museum museum mju'si:əm
Musik music 'mju:sik

müssen to have to ˈhæv_tə,**must** maßt; **ich müsste** I ought to ai ˈoːt_tə

Muster pattern ˈpätn; (*Probe*) **sample** ˈßaːmpl

Mutter mother ˈmaðə

Muttersprache mother tongue ˈmaðə tang

N

nach after ˈaːftə; **towards** təˈwoːds; (*in Richtung*) **to** tə

Nachahmung imitation imiˈtäjschn,**copy** ˈkopi

Nachbar neighbour ˈnäjbə

Nachbarschaft neigbourhood ˈnäjbəhud

nachdem after ˈaːftə; **je ~, ob** ... **depending on whether** ... diˈpending on ˈweðə

nachdenken to think θink; (*über*) **about** əˈbaut

nachdenklich thoughtful ˈθoːtfl

nacheinander one after the other ˈwan aːftə ðiˈaðə

nachforschen investigate inˈveßtigäjt

Nachfrage (nach) demand (for) diˈmaːnd (fə)

nachfüllen to refill riːˈfil

Nachhilfe coaching ˈkoutsching

nachholen to make up for mäjkˈap_fə; (*Schlaf*) **to catch up on** kätschˈap on

Nachlass discount ˈdißkaunt

nachlassen to decrease diːˈkriːß; (*Schmerz*) **ease** iːs

nachlässig careless ˈkeələß

Nachmittag afternoon aːftəˈnuːn; **heute ~** this afternoon ðiß aːftəˈnuːn

nachmittags in the afternoon in ði_ɑːftəˈnuːn

Nachname surname ˈßöːnäjm

nachprüfen to check tschek

Nachricht message ˈmeßidsch; **eine ~ hinterlassen** to leave a message liːvˈə ˈmeßidsch

Nachrichten news *sg* njuːs

Nachsaison low season ˈlou ßiːsn

nachschlagen to look up lukˈap

nachsehen to have a look hævˈə ˈluk

nachsenden to forward ˈfoːwəd

nachstellen (*Uhr*) to put back putˈbäk

nächste(r, -s) nearest ˈniərəßt; (*in einer Reihenfolge*) **next** nekßt

Nacht night nait; **mitten in der ~ in the middle of the night** in ðə ˈmidl_əv ðə ˈnait

Nachteil disadvantage dißədˈvaːntidsch

nachts at night ət ˈnait

Nachweis proof pruːf

nackt naked ˈnäjkid

Nadel needle ˈniːdl

Nagel nail näjl

nah(e) near niə,**close** klouß; **~ bei** near niə

in der Nähe nearby niəˈbai

sich nähern approach əˈproutsch

Name name näjm

namentlich by name bai ˈnäjm

nass wet wet

Nation nation ˈnäjschn

national national ˈnäschnəl

Nationalhymne national anthem näschnəl ˈänθəm

Nationalität nationality näschəˈnäləti

Nationalpark national park näschnəl ˈpaːk

natürlich *adj* natural ˈnætschrəl; *adv* **naturally** ˈnätschrəli,**of course** əv ˈkoːß

Reisewörterbuch

Naturschutzgebiet nature reserve 'näjtschə ri'sö:v
neben next to 'nekßt_tə,beside bi'ßaid
nebenan next door nekßt 'do:
nebeneinander side by side 'ßaid bai 'ßaid
Nebenfluss tributary 'tribjutəri
Nebenkosten extras 'ekßtrəs, extra costs 'ekßtrə 'koßtß
Nebenstelle extension ik'ßtenschn
Neffe nephew 'nefju:
negativ negative 'negətiv
nehmen to take täjk
Neid envy 'envi
neidisch envious 'enviəß
nein no nou
nennen to call ko:l
Nerv nerve nö:v; **jemandem auf die ~en gehen** to get on somebody's nerves get_on 'ßambədis 'nö:vs
nervös tense tenß; (*unruhig*) fidgety 'fidschəti
nett nice naiß; (*freundlich*) kind kaind
netto net net
Netz net; (*Verkehrsmittel*) network 'netwö:k
neu new nju:
neulich recently 'ri:ßntli
neutral neutral 'nju:trəl
nicht not not
Nichte niece ni:ß
Nichtraucher non-smoker non'ßmoukə
nichts nothing 'naθiŋ
Nichtschwimmer non-swimmer non'ßwimə
nie never 'nevə
niedrig low lou
niemand nobody 'noubodi
niesen to sneeze ßni:s
nirgends nowhere 'nouweə

Niveau standard 'ßtändəd
noch still ßtil; **~ nie** never 'nevə; **~ zwei Tage** another two days ə'naðə tu: 'däjs; **~ heißer** even hotter i:vn 'hotə; **~ (mehr)** some more ßəm 'mo:; **~ ein** another ə'naðə
nochmals once again wanß ə'gen
Nordirland Northern Ireland 'noðn 'aiələnd
nördlich north no:θ
normal normal 'no:ml
normalerweise normally 'no:məli
Notar notary 'noutəri
Notausgang emergency exit i'mö:dschənßi 'ekßit
Note mark ma:k,**grade** gräjd
Notfall emergency i'mö:dschənßi; **für den ~** just in case dschaßt_in 'käjß
notfalls if necessary if 'neßəßri
nötig necessary 'neßəßri; **~ haben to need** ni:d
Notiz note nout; **sich ~en machen to take notes** täjk 'noutß
Notlösung stopgap (solution) 'ßtopgäp (ßə'lu:schn)
Notwehr self-defence ßelfdi'fenß
notwendig necessary 'neßəßri
Notwendigkeit necessity nə'ßeßiti
nüchtern sober 'ßoubə
Nummer number 'nambə
nummerieren to number 'nambə
nun now nau; (*also*) **well** wel
nur only 'ounli,**just** dschaßt
Nutzen use ju:ß
nützlich useful 'ju:ßfl
nutzlos useless 'ju:ßləß

229

O

ob whether 'weðə, **if** if
obdachlos homeless 'houmləß
oben on top on 'top; (*im Haus*) upstairs ap'ßteəs
Oberfläche surface 'ßö:fiß
oberflächlich superficial ßu:pə'fischl
oberhalb above ə'bav
Oberhaus House of Lords hauß_əv 'lo:ds
Oberschicht upper class apə 'kla:ß, **upper classes** *pl* apə 'kla:ßis
objektiv objective əb'dschektiv, objectively əb'dschektivli
Objektivität objectivity obdschek'tivəti
obligatorisch compulsory kəm'palßəri
obszön obscene əb'ßi:n
obwohl although o:l'ðou
oder or o:
offen open 'oupən
offenbar evidently 'evidəntli
offensichtlich obviously 'obviəßli
öffentlich public 'pablik; **~e Verkehrsmittel** public transport pablik 'tränßpo:t
offiziell official ə'fischl, officially ə'fischli
öffnen to open 'oupən
Öffnungszeiten opening times 'oupəniŋ taims, **opening hours** 'oupəniŋ auəs
oft often 'ofn
ohne without wið'aut
ökologisch ecological i:kə'lodschikl
Öl oil oil
ölig oily 'oili
Olympische Spiele Olympic Games ə'limpik 'gäjms
Onkel uncle 'ankl

Opfer victim 'viktim
Opposition opposition opə'sischn
optimal optimum 'optiməm
Optimist optimist 'optimißt
optimistisch optimistic opti'mißtik
ordentlich (neat and) tidy ('ni:t_ən) 'taidi; (*anständig*) decent 'di:ßnt
ordinär vulgar 'valgə; (*Art*) common 'komən; (*Aussehen*) common 'komən
ordnen to sort out ßo:t_'aut
Ordnung order 'o:də; **die öffentliche ~** law and order lo:_n_'o:də
Organ organ 'o:gən
Organspender organ donor 'o:gən dounə
sich orientieren to find one's bearings 'faind wans 'beəriŋs
Orientierung orientation o:riən'täjschn; **die ~ verlieren** to lose one's bearings lu:s wans 'beəriŋs
Original original ə'ridschnəl
Osten east i:ßt
Ostern Easter 'i:ßtə
Österreich Austria 'oßtriə
österreichisch Austrian 'oßtriən
östlich east i:ßt
oval oval 'ouvl
Ozon ozone 'ousoun
Ozonloch ozone hole 'ousoun houl

P

Paar pair peə
paar, ein a few ə 'fju:, **some** ßam
Pächter leaseholder 'li:ßhouldə
Packung packet 'päkit
Panik panic 'pänik; **in ~ geraten** to panic pänik

230

Papier paper 'päjpə
Papiere documents 'dokjuməntß
Pappbecher paper cup 'päjpə kap
Pappe cardboard 'ka:dbo:d
Papst pope poup
paradiesisch heavenly 'hevnli
paradox paradoxical pärə'dokßikl
Park park pa:k
parken to park pa:k
Parlament parliament 'pa:ləmənt
Parlamentsgebäude Houses pl of Parliament 'hausis_əv 'pa:ləmənt
Partei party 'pa:ti
Passagier passenger 'päßindschə
Passant passer-by pa:ßə'bai
Passbild passport photo 'pa:ßpo:t foutou
passen to fit fit; **das passt mir nicht** (zeitlich) it doesn't suit me it dasnt 'ßu:t mi
passiv passive 'päßiv
pauschal (all-)inclusive ('o:l) in'klu:ßiv
Pauschale lump sum lamp 'ßam
Pause rest reßt; (Theater) interval 'intovl
Pech bad luck bäd 'lak; ~ **haben** to be unlucky bi: an'laki
peinlich embarrassing im'bäräßing
Pendelverkehr shuttle service 'schatl ßö:viß
Pendler commuter kə'mju:tə
pensioniert retired ri'taiəd
Pensum quota 'kwoutə
per by bai,per pə; ~ **Bahn** by train bai 'träjn; ~ **Bus** by bus bai 'baß
perfekt perfect 'pö:fikt
Person Person 'pö:ßn; ~**en** people 'pi:pl,~**en** persons 'pö:ßns

Personal staff ßta:f
Personalausweis ID ai'di:
Personalien particulars pə'tikjuləs
persönlich personal 'pö:ßnəl
Persönlichkeit personality pö:ßə'näləti
Perspektive perspective pə'ßpektiv
Perücke wig wig
Pessimist pessimist 'peßimißt
pessimistisch pessimistic peßi'mißtik
Pfad path pa:θ
Pfandleihe pawnshop 'po:nschop
Pfarrer vicar 'vikə; (katholischer) priest pri:ßt
Pfau peacock 'pi:kok
Pfeife pipe paip
Pfeil arrow 'ärou
Pfeiler pillar 'pilə
Pferd horse ho:ß
Pferdekutsche horse-drawn carriage 'ho:ßdro:n 'käridsch
Pflanze plant pla:nt
Pflaster plaster 'pla:ßtə
Pflasterstein paving stone 'päjving ßtoun
Pflege care keə
pflegebedürftig in need of care in 'ni:d_əv 'keə
Pflegeheim nursing home 'nö:ßing houm
pflegen to look after luk_'a:ftə
Pflicht duty 'dju:ti
pflücken to pick pik
Pforte gate gäjt,**door** do:
Pförtner porter 'po:tə
Pfosten post poußt,**pole** poul
Pfund pound paund
Pfütze puddle 'padl
Phänomen phenomenon fi'nomənən
Phase phase fäjs
Philosoph philosopher fi'loßəfə

231

Phrase phrase fräjs
Picknick picnic 'piknik; **ein ~ machen** to have a picnic häv_ə 'piknik
Picknickkorb picnic hamper 'piknik hämpə
Pilger pilgrim 'pilgrim
Pinsel paintbrush 'päjntbrasch
Pinzette (pair of) tweezerspl (peər_əv) 'twi:səs
Plage plague pläjg; (*Ärgernis*) nuisance 'nju:ßənß
Plakat poster 'poußtə
Plakette badge bädsch
Plan plan plän
Planet planet 'plänit
planmäßig *adj* scheduled 'schedju:ld,*adv* **according to schedule** ə'ko:ding tə 'schedju:l
Plan (*Straßenplan*) map mäp
Plastik plastic 'pläßtik
Plastikbecher plastic cup pläßtik 'kap
Plastik (*Figur*) sculpture 'ßkalptschə
plastisch plastic 'pläßtik
Platz (*Anlage*) square ßkweə
platzen to burst bö:ßt
Platz (*Sitzplatz*) seat ßi:t
plaudern to chat tschät
pleite broke brouk; **Pleite machen** to go bust gou 'baßt
plötzlich suddenly 'ßadnli
plus plus plaß
Pokal cup kap
Pol pole poul
Police policy 'polißi
Politesse traffic warden 'träfik wo:dn
Politik politics 'politikß
Politiker politician poli'tischn
politisch political pə'litikl
populär popular 'popjulə
Portemonnaie purse pö:ß
Portier porter 'po:tə,**doorman** 'do:mən

Porträt portrait 'po:trət
Position position pə'sischn
positiv positive 'posətiv
Posten post poußt
Poster poster 'poußtə
Postkarte postcard 'poußtka:d
Pracht splendour 'ßplendə
prächtig splendid 'ßplendid
präsentieren to present pri'sent
präzis precise pri'ßaiß
Preis price praiß
Preiserhöhung price increase 'praiß inkri:ß
Preisermäßigung price reduc- tion 'praiß ri'dakschn
preisgünstig very reasonable 'veri 'ri:sənəbl
Premiere premiere 'premiə,**first night** fö:ßt 'nait
Premierminister prime minister praim 'minißtə
Presse press preß
Pressebericht press report 'preß ri'po:t
pressen to press preß
Priester priest pri:ßt
primitiv primitive 'primitiv
Prinz prince prinß
Prinzessin princess prin'ßeß
Prinzip principle 'prinßipl; **aus ~** on principle on 'prinßəpl
privat private 'praivət
Privatangelegenheit private matter praivət 'mätə
Privatbesitz private property praivət 'propəti
Privatfernsehen private TV praivət ti:'vi:
pro per pə
Probe trial 'traiəl; (*Muster*) **sample** 'ßa:mpl; (*Theater*) **rehearsal** ri'hö:ßl
probieren to try trai
Problem problem 'probləm
Produkt product 'prodakt
Produzent producer prə'dju:ßə

professionell professional
prə'feschnəl
Profi pro prou,**professional**
prə'feschnəl
Profil profile 'proufail
Prognose forecast 'fo:ka:ßt
Programm programme
'prougräm; (*Fernsehkanal*)
channel 'tschänl
Projekt project 'prodschekt
Prospekt brochure 'brouschə
protestieren to protest
prə'teßt
Proviant provisions *pl*
prə'vischns,**food** fu:d
Provision commission kə'mischn
provisorisch *adj* temporary
'tempräri,*adv* temporarily
'temprərəli
provozieren to provoke
prə'vouk
Prozent per cent pə 'ßent
Prozess process 'prouißeß
Prozession procession
prə'ßeschn
Prozess (*Strafprozess*) trial 'traiəl
prüfen to test teßt; (*nach*) to
check tschek
Prüfung exam ig'säm,
examination igsämi'näjschn
psychisch psychological
ßaikə'lodschikl,**mental** 'mentl
Pubertät puberty 'pju:bəti
Publikum audience 'o:diənß;
(*Öffentlichkeit*) **public** 'pablik;
(*Sport*) **spectators** *pl* ßpek'täjtəs
publizieren to publish 'pablisch
Pulver powder 'paudə
Pumpe pump pamp
Punkt dot dot,**spot** ßpot
pünktlich punctual 'panktschuəl,
on time 'taim
Pünktlichkeit punctuality
panktschu'äləti
Punkt (*Satzzeichen*) full stop 'ful
ßtop; (*Stelle*) **point** pojnt

pur pure pjuə; (*Whisky*) **neat**
ni:t
putzen to clean kli:n
Putzmittel cleaning materials
'kli:ning mə'tiəriəls

Q

Quadrat square ßkweə
quadratisch square ßkweə
quälen to torment to:'ment
Qualifikation qualification
kwolifi'käjschn
qualfzieren to qualify
'kwolifai
Qualität quality 'kwoliti
Qualm smoke ßmouk
Quarantäne quarantine
'kworənti:n; **unter ~stellen** to
put in quarantine put_in
'kworənti:n
Quartal quarter (year) 'kwo:tə
(jiə)
Quelle spring ßpring; (*Ursprung*)
source ßo:ß
quer crosswise 'kroßwais; **~ über**
(**right**) **across** (rait) ə'kroß
Querschnitt cross-section
'kroß_ßekschn
quetschen to squeeze ßkwi:s;
(*zerquetschen*) **to squash**
ßkwosch
quietschen to squeal ßkwi:l;
(*Bremsen*) **to screech** ßkri:tsch
quirlig lively 'laivli,**bubbly** 'babli
quitt sein mit jemandem to be
quits with somebody bi:
'kwitß wið 'ßambədi
Quittung receipt ri'ßi:t
Quizsendung quiz show 'kwis
schou; (*mit Spielen*) **gameshow**
'gäjmschou
Quote proportion prə'po:schn,
ratio 'räjschiou

R

Rabatt discount 'dißkaunt
Rad bicycle 'baißikl
Rad fahren to cycle 'ßaikl,to go cycling gou 'ßaikling
Radio radio 'räjdiou
Rampe ramp rämp
Rand edge edsch
randalieren to riot 'raiət
Rand (einer Seite) margin 'ma:dschin
ranzig rancid 'ränßid
rasch quick kwik
Rasen lawn lo:n
rasen to race (along) räjß (ə'long),to speed (along) ßpi:d_(ə'long)
Rasse race räjß
Rassismus racism 'räjßism
rasten to take a rest täjk_ə 'reßt
Rat advice əd'vaiß
ratlos helpless helpləß,at a loss ət_ə 'loß
ratsam advisable əd'vaisəbl
Ratschlag advice əd'vaiß
Rätsel puzzle 'pasl
Ratte rat rät
rau rough raf; (Klima) harsh ha:sch
Rauch smoke ßmouk
rauchen to smoke ßmouk
Raucher smoker 'ßmoukə
Raucherabteil smoking compartment 'ßmouking kəm'pa:tmənt
Raum room ru:m
räumen to clear kliə
Raumfahrt space travel 'ßpäjß trävl
Räumungsverkauf clearance sale 'kliərənß ßäjl
raus! get out! get 'aut!
Rauschgift drugspl drags
sich räuspern to clear one's throat 'kliə wans 'θrout

reagieren (auf) to react (to) ri'äkt_(tə)
real real riəl
realisieren to realize 'riəlais
realistisch realistic riə'lißtik
Realität reality ri'äləti
rechnen to calculate 'kälkjuläjt; **~ mit** to expect ik'ßpekt
Rechner calculator 'kälkjuläjtə; (Computer) computer kəm'pju:tə
Rechnung bill bil
recht right rait
Recht right rait; **recht haben** to be right bi: 'rait; **zu ~** rightly 'raitli
Rechteck rectangle 'rektängl
rechteckig rectangular rek'tängjulə
rechtfertigen to justify 'dschaßtifai
Recht (Gesetz) law lo:
rechts to the right tə_ðə 'rait, on the right on ðə 'rait
Rechtshänder right-hander rait'händə; **~ sein** to be right-handed bi: rait'händid
rechtzeitig in time in 'taim
Redakteur editor 'editə
Rede speech ßpi:tsch
Redensart expression ik'ßpreschn
reduzieren (auf) to reduce (to) ri'dju:ß_(tə)
Regal shelf schelf,shelves pl schelvs
Regel rule ru:l
regelmäßig regular 'regjulə
regieren to rule ru:l,to govern 'gavn
Regierung government 'gavnmənt
Region region 'ri:dschən
Regisseur director də'rektə
Register index 'indekß

234

registrieren to register
'redʃɪßtə

Regler control (knob) kən'troul
(nob)

regulär normal 'nɔːml

regulieren to adjust ə'dʒaßt

reiben to rub rab

reich rich rɪtʃ

Reich empire 'empaiə;
(*Königreich*) kingdom
'kɪŋdəm

reichen to pass paːß; (*aus*) to be
enough biː i'naf

Reichtum wealth welθ

reif ripe raip; (*Mensch*) mature
mə'tjuə

reifen to ripen 'raipən; (*Mensch*)
to mature mə'tʃuə

Reihe row rou

Reihenfolge order 'ɔːdə

Reihenhaus terraced house
teræßt 'hauß

Reise journey 'dʒöːni,**trip** trip

Reisebüro travel agent 'trävl
äjdʒənt

Reisebus coach koutʃ

Reiseführer travel guide 'trävl
gaid,**guidebook** 'gaidbuk

Reiseleitung tour guide 'tuəgaid

Reisender traveller 'trävlə

reisen (nach) to travel (to)
'trävl_(tə)

Reisepass passport 'paːßpoːt

Reisetasche (travelling) bag
('trävlɪŋ) bäg

Reiseveranstalter tour operator
'tuə opəraitə

Reiseziel destination
deßti'näjʃchn

reißen to tear teə

reiten to ride raid

Reiz attraction ə'träkʃchn,**appeal**
ə'piːl

reizend charming 'tʃaːmɪŋ

Reklamation complaint
kəm'pläjnt

reklamieren (wegen) to complain (about) kəm'pläjn_
(ə'baut)

Reparatur repair ri'peə

Reparaturkosten repair costs
ri'peə koßtß

reparieren to repair ri'peə

Repräsentant representative
repri'sentətiv

repräsentieren to represent
repri'sent

Republik Irland Republic of Ireland ri'pablik_əv 'aiələnd

reservieren to book buk,**to
reserve** ri'söːv

reserviert reserved ri'söːvd

Reservierung reservation
resə'väjʃchn

Respekt (vor) respect (for)
ri'ßpekt (fə)

Rest rest reßt

restaurieren to restore ri'ßtoː

Resultat result ri'salt

retten to rescue 'reßkjuː

Rezeption reception ri'ßepʃchn

Rhythmus rhythm 'riðm

Richter judge dʒadʃch

richtig right rait,**correct** kə'rekt

Richtlinien guidelines 'gaidlains

Richtung direction də'rekʃchn

riechen to smell ßmel

riesig huge hjuːdʃch

ringsum around ə'raund

Risiko risk rißk

riskant risky 'rißki

Rohr pipe paip

rollen to roll roul

Rolltreppe escalator 'eßkəläjtə

Roman novel 'novəl

Route route ruːt

rücken to move muːv

rückerstatten to refund ri'fand

rückgängig machen to cancel
'känßl

Rucksack rucksack 'rakßäk,
backpack 'bäkpäk

235

Rucksacktourist backpacker 'bäkpäkə
Rückseite reverse ri'vö:ß
rücksichtsvoll considerate kən'ßidərət
rückwärts backwards 'bäkwəds
rufen to call ko:l
ruhig quiet 'kwaiət; (*gelassen*) **calm** ka:m; (*See*) **calm** ka:m
Ruine ruin 'rui:n, **ruins** *pl* 'rui:ns
rund round raund
Rundfahrt sightseeing tour 'ßaitßi:ing tuə
Rundfunk radio 'räjdiou
Rundgang tour tuə
rutschen to slip ßlip, to slide ßlaid
rütteln (an) to shake (at) 'schäjk_(ət)

S

Saal hall ho:l
Sache thing θing; (*Angelegenheit*) **matter** 'mätə
Sachverständige expert 'ekßpö:t; **~r** expert 'ekßpö:t
saftig juicy 'dschu:ßi; (*Preise*) **steep** ßti:p
sagen to say ßäj
Saison season 'ßi:sn
sämtlich all o:l
Sand sand ßänd
sanft gentle 'dschentl
sanieren (*Gebiet*) to redevelop ri:di'veləp; (*Haus*) to refurbish ri:'fö:bisch
Sanitäter ambulance man 'ämbjuləns_mən
Sarg coffin 'kofin
Satellit satellite 'ßätəlait
satt full ful
sauber clean kli:n
säubern to clean kli:n
sauer sour 'ßauə

Sauerstoff oxygen 'okßidschən
saugen (an) to suck (at) 'ßak_(ət)
Säugling baby 'bäjbi
Saum hem hem
Sauna sauna 'ßo:nə
Schachtel box bokß; **Pappschachtel** cardboard box 'ka:dbo:d bokß
schade! what a pity! 'wot_ə 'piti!
Schaden damage 'dämidsch
Schadenersatz damages *pl* 'dämidschis
Schadensregulierung claims settlement 'kläjms ßetlmənt
schädigen to damage 'dämidsch
schädlich harmful 'ha:mfl
Schadstoff pollutant pə'lu:tənt, **harmful substance** ha:mfl 'ßabßtənß
Schaf sheep schi:p
schaffen to create kri:'äjt
Schaffner conductor kən'daktə
schälen to peel pi:l
Schalter desk deßk; (*im Postamt*) **counter** 'kauntə; (*Knopf*) **switch** ßwitsch
scharf sharp scha:p
Schatten shade schäjd; (*Umriss*) **shadow** 'schädou
schätzen to estimate 'eßtimäjt; (*vermuten*) **to guess** geß
Schätzung estimate 'eßtimət
schauen to look luk
Schaufel shovel 'schavl, **spade** ßpäjd
Schaufenster shop window 'schop windou
Schaukel swing ßwing
schaukeln to swing ßwim
schäumen to foam foum
Scheck cheque tschek
Schein (bank)note ('bänk)nout
scheinen to shine schain
scheitern to fail fäjl

schenken to give (as a present) qiv (əs_ə 'presnt)
Schere scissors *pl* 'ßisəs
Scherereien trouble *sg* 'trabl
Scherz joke dschouk
scheu shy schai
scheußlich horrible 'horibl
schick smart ßma:t
schicken to send ßend
Schicksal fate fäjt
schieben to push pusch
schief not straight not 'ßträjt, crooked 'krukid; (*hängend*) lop-sided 'lopßaidid
schießen to shoot schu:t; ~ **auf** to shoot at 'schu:t_ət
Schiff ship schip
Schild sign ßain
schildern to describe di'ßkraib
Schimmel (*auf Nahrungsmitteln*) mould mould
jemanden schimpfen to tell somebody off tel ßambadi 'of
Schirm umbrella am'brelə
Schlacht battle 'bätl
Schlaf sleep ßli:p
schlafen to sleep ßli:p, **to be asleep** bi: ə'ßli:p
Schlag (*elektrischer*) shock schok
schlagen to hit hit
Schlag (*mit der Hand*) blow blou
schlank slim ßlim
schlau clever 'klevə, **smart** ßma:t
schlecht bad bäd; **mir ist ~** I feel ill ai fi:l 'il
schlicht simple 'ßimpl, **plain** pläjn
schließen to close klous; (*ver*) **to lock** lok
schlimm bad bäd
Schluck sip ßip
schlucken to swallow 'ßwolou
Schluss end end
Schlüssel key ki:
schmackhaft tasty 'täjßti
schmal narrow 'närou

schmecken to taste täjßt; **es schmeckt** it tastes good it 'täßtß 'gu:d
schmeicheln to flatter 'flätə
schmeißen to throw θrou
schmelzen to melt melt
Schmerz pain päjn
Schmetterling butterfly 'bataflai
Schminke makeup 'mäjkap
Schmuck jewellery dschu:əlri
schmuggeln to smuggle 'ßmagl
Schmutz dirt dö:t
schmutzig dirty 'dö:ti
schnarchen to snore ßno:
schneiden to cut kat
schnell quick kwik, **fast** fa:ßt
Schnellimbiss snack bar 'ßnäk ba:
Schnupfen cold kould
Schnur (piece of) string (pi:ß_əv) 'ßtring; (*elektrisch*) **flex** flekß
Schnurrbart moustache mə'ßta:sch
Schock shock schok
schon already o:l'redi; (*in Fragen*) **yet** jet; (*jemals*) **ever** 'evə
schön nice naiß
schottisch Scottish 'ßkotisch
Schottland Scotland 'ßkotlənd
schräg sloping 'ßlouping
Schrank cupboard 'kabəd; (*Kleiderschrank*) **wardrobe** 'wo:droub
Schranke barrier 'bäriə
Schreck fright frait
Schrei scream ßkri:m
schreiben to write rait
Schreibtisch desk deßk
schreien to shout schaut; (*kreischen*) **to scream** ßkri:m
Schrift (hand)writing ('händ) raiting
Schriftsteller writer 'raitə
Schritt step ßtep
schüchtern shy schai

Schuld: es ist meine Schuld it's my fault itß 'mai fo:lt
schuldig guilty 'gilti
Schule school ßku:l
Schüler pupil 'pju:pil
Schulferien school holidays *pl* 'ßku:l 'holədäjs
Schüssel bowl boul
schütten to pour po:
Schutz protection prə'tekschn; **~ gegen** protection against prə'tekschn ə'genßt; **~ vor** protection from prə'tekschn frəm
schützen to protect prə'tekt
schwach weak wi:k
Schwamm sponge ßpandsch
schwanger pregnant 'pregnənt
Schwangerschaft pregnancy 'pregnənßi
Schwein pig pig
Schweiß sweat ßwet
Schweiz Switzerland 'ßwitßələnd
schweizerisch Swiss ßwiß
schwer heavy 'hevi; (*schwierig*) difficult 'difikəlt
Schwester sister 'ßißtə
schwierig difficult 'difikəlt
Schwimmbad swimming pool 'ßwiming pu:l
schwimmen to swim ßwim
schwitzen to sweat ßwet
See (*Binnengewässer*) lake läjk; (*Meer*) sea ßi:
sehen to see ßi:
Sehenswürdigkeiten sights ßaitß
sehr very 'veri
seicht shallow 'schälou
Seife soap ßoup
Seil rope roup
sein to be bi:
sein his his,its itß; **~e** his his,**~e** its itß

seit for fo:,since ßinß; **~ zehn Tagen** for ten days fə 'ten 'däjs
Seite side ßaid; (*im Buch*) page päjdsch
Sekunde second 'ßekənd
selbst: ich selbst myself mai'ßelf; **du selbst** yourself jo:'ßelf
Selbstbedienung self-service ßelf'ßö:viß
selbstbewusst self-confident ßelf'konfidənt
selbstständig independent indi'pendənt; (*beruflich*) self-employed ßelfim'plojd
selten rare reə,rarly*adv* 'reəli
Sender station 'ßtäjschn; (*TV*) *auch* channel 'tschänl
Senior senior citizen 'ßi:niə 'ßitisn
sensibel sensitive 'ßenßətiv
servieren to serve ßö:v
Serviette serviette ßö:vi'et
Sessel armchair 'a:mtscheə
setzen to put put,to place pläjß; **sich ~ to sit down** ßit_'daun
sexuell sexual 'ßekschuəl
Shampoo shampoo schäm'pu:
sich oneself wan'ßelf,yourself jo:'ßelf,*3. Person sg* himself him'ßelf,herself hö:'ßelf,itself itßelf,*pl* themselves ðəm'ßelvs
sicher certain 'ßö:tn; (*gewiss*) sure scho:; **~ (vor)** safe (from) ßäjf (frəm)
Sicherheit safety 'ßäjfti; (*Gewissheit*) certainty 'ßö:tnti
Sicherheitsnadel safety pin 'ßäjfti pin
Sicht visibility visi'biləti; (*Aussicht*) view vju:
Sie you ju:
sie she *1. Person sg* schi:,*2. pl* they ðäj
Sieg victory 'viktəri
siegen to win win
singen to sing ßing

Sinn sense ßenß,**meaning** 'mi:ning

sinnlos pointless 'pojntləß

sinnvoll sensible 'ßenßəbl

Sitte custom 'kaßtəm

sitzen to sit ßit

Sitzplatz seat ßi:t

Sitzung meeting 'mi:ting

Skandal scandal 'ßkändl

skeptisch sceptical 'ßkeptikl

so like this laik 'ðiß,**like that** laik 'ðät; (*vergleichend*) **as** äs

sofort immediately i'mi:diətli

sogar even 'i:vn

Sohn son ßan

solange as long as əs long‿əs

Solarium solarium ßə'leəriəm

solch such ßatsch

sollen to be (supposed) to bi: (ßə'pousd) tə

Sonderangebot special offer ßpeschl 'ofə

Sonne sun ßan

Sonnenbrille sunglasses *pl* 'ßangla:ßis

sonst otherwise 'aðəwais; (*normalerweise*) **usually** 'ju:<u>sch</u>uəli

Sorge worry 'wari; **sich ~n machen** to be worried about bi: 'warid ə'baut

Sorte sort ßo:t,**kind** kaind; **so** (*vor adj. oder adv.*) **so** ßou

sowohl … als auch both … and bouθ ənd

sozial social 'ßouschl

Spannung (*elektrische*) voltage 'voulti<u>dsch</u>

sparsam economical i:kə'nomikl

Spaß fun fan; **~ machen** to be joking bi: '<u>dsch</u>ouking; (*Scherz*) joke <u>dsch</u>ouk

spät late läjt

später later (on) läjtər‿('on)

spätestens at the latest ət ðə 'läjtəßt

Speisesaal dining room 'daining ru:m

sperren to lock lok

Spiegel mirror 'mirə

spiegeln to reflect ri'flekt

Spiel game gäjm

spielen to play pläj; (*Stück*) **to perform** pə'fo:m

Spielplatz playground 'pläjgraund

Spielzeug toy toj,**toys** *pl* tojs

Spinne spider 'ßpaidə

Splitter splinter 'ßplintə

Sprache language 'längwi<u>dsch</u>

sprechen to speak ßpi:k

Spruch saying 'ßäjing

spucken to spit ßpit

spülen to rinse rinß

spüren to sense ßenß

Staat state ßtäjt

Staatsangehörigkeit nationality näschə'näləti

stabil stable ßtäjbl

Stadion stadium 'ßtäjdiəm

Stadt town taun,**city** 'ßiti

Stadtplan town plan taun 'plän, **city map** 'ßiti mäp

Stadtzentrum city centre ßiti 'ßentə,**town centre** taun 'ßentə

ständig constant 'konßtənt, **permanent** 'pö:mənənt

Stange pole poul

stark strong ßtrong

statt instead of in'ßted‿əv

stattdessen instead in'ßted

stattfinden to take place täjk 'pläjß

Stau traffic jam 'träfik <u>dsch</u>äm

Staub dust daßt

staubig dusty 'daßti

stechen to prick prik; (*Biene*) **to sting** ßting; (*Mücke*) **to bite** bait

Steckdose socket 'ßokit

Stecker plug plaq

stehen to stand ßtänd

stehlen to steal ßti:l
steif stiff ßtif
steigen (auf) to climb (to)
'klaim_(tə); steigen (Preise) to
go up gou_'ap
steil steep ßti:p
Stein stone ßtoun
Stelle place pläjß
stellen to put put
Stellung position pə'sischn
Stellvertreter representative
repri'sentətiv
Stempel stamp ßtämp
sterben to die dai
Stern star ßta:
Steuer (staatliche) tax täkß
Stich prick prik; (Bienenstich)
sting ßting; (Mückenstich) bite
bait
Stiel handle 'händl
Stift pen pen
Stil style ßtail
still quiet 'kwaiət; (regungslos)
still ßtil
stillen to breastfeed 'breßtfi:d
Stillstand standstill 'ßtändßtil
Stimme voice vojß; (Wahl) vote
vout
Stimmung mood mu:d
stinken (nach) to stink (of)
'ßtink_(əv)
Stock stick ßtik
Stoff material mə'tiəriəl
stolpern to trip trip
stolz (auf) proud (of) 'praud_
(əv)
Stöpsel stopper 'ßtopə;
(Waschbecken) plug plag
stören to disturb di'ßtö:b; stört
es Sie, wenn ...? do you mind
if ...? du_ju 'maind if;
(belästigen) to bother 'boðə
Störung disturbance
di'ßtö:bənß; (Betriebsstörung)
breakdown 'bräjkdaun;
(technische) fault fo:lt

Strand beach bi:tsch
Straße road roud
Straßenkarte road map 'roud
mäp
Strecke stretch ßtretsch; (Weg)
route ru:t
Streichhölzer matches 'mätschis
Streifen stripe ßtraip
Streik strike ßtraik
Streit argument 'a:gjumənt
Stress stress ßtreß
Strick rope roup
Strom electricity ilek'trißəti
Stück piece pi:ß
Student student 'ßtju:dnt
Studentenausweis student's ID
'ßtju:dntß ai'di:
Stuhl chair tscheə
Stunde hour 'auə
stündlich adv hourly 'auəli;
every hour evri 'auə
Sturm storm ßto:m
stürzen to fall fo:l
subjektiv subjective
ßəb'dschektiv
Suche search ßö:tsch
suchen to look for 'luk_fə
süchtig (nach) addicted (to)
ə'diktid_(tə)
Süden south ßauθ
südlich south ßauθ
Summe sum ßam; (Betrag)
amount ə'maunt
süß sweet ßwi:t
sympathisch nice naiß,pleasant
'plesnt

T _____

Tag day däj
täglich adv daily 'däjli,every day
evri 'däj
Tal valley 'väli
Tante aunt a:nt
tanzen to dance da:nß

240

Tasche bag bäg
Taschenlampe torch to:tsch
Tasse cup kap
Tastatur keyboard ˈki:bo:d
Taste key ki:
Taufe christening ˈkrißning
tauschen to swap ßwop,**to exchange** ikßˈtschäjndsch
Technik technology tekˈnolədschi
Tee tea ti:
Teelöffel teaspoon ˈti:ßpu:n
Teil part pa:t
teilnehmen (an) to take part (in) täjk ˈpa:t (in)
Telefax fax fäkß
Telefon (tele)phone (ˈteli)foun
telefonieren to phone foun,**to ring someone up** ring ˈßamwan ˈap,**to call** ko:l
Teller plate pläjt,**dish** disch
Temperatur temperature ˈtemprətschə
Tendenz tendency ˈtendənßi
Teppich carpet ˈka:pit
Termin appointment əˈpojntmənt
teuer expensive ikˈßpenßiv
Theater theatre ˈθiətə
Thema topic ˈtopik,**subject** ˈßabdschikt
theorctisch adj **theoretical** θiəˈretikl; adv **in theory** in ˈθiərı, **theoretically** θiəˈretikli
Therapeut therapist ˈθerəpißt
Thermosflasche thermos flask ˈθö:məß fla:ßk
Ticket ticket ˈtikit
tief deep di:p
Tier animal ˈäniməl
Tisch table ˈtäjbl,**am ~ at the table** ət ðə ˈtäjbl
Tochter daughter ˈdo:tə
Tod death deθ
tödlich fatal ˈfäjtl
Toilette toilet ˈtojlət
Toilettenpapier toilet paper ˈtojlət päjpə

toll great gräjt
Ton sound ßaund
Topf pot pot,**saucepan** ˈßo:ßpən
Tor gate gäjt
tot dead ded
töten to kill kil
Tour tour tuə,**trip** trip
Tourismus tourism ˈtuərism
Tourist tourist ˈtuərißt
Touristeninformation tourist information ˈtuərißt infəˈmäjschn
Tradition tradition trəˈdischn
tragen to carry ˈkäri; (Kleidung) **to wear** weə; (Schmuck) **to wear** weə
Tragetasche carrier bag ˈkäriə bäg
trampen to hitchhike ˈhitschhaik
transportieren to transport tränßˈpo:t
träumen to dream dri:m
träumen von to dream about ˈdri:m_(əˈbaut),**to dream of** ˈdri:m_(əv)
sich treffen to meet mi:t
trennen to separate ˈßeprət
Treppe stairs pl ßteəs; (draußen) **steps** pl ßtepß
treten to step ßtep
treu faithful ˈfäjθfl
trinken to drink drink
Trinkgeld tip tip
Trinkwasser drinking water ˈdrinking wo:tə
trocken dry drai
trocknen to dry drai
tropfen to drip drip
trösten to comfort ˈkamfət,**to console** kənˈßoul
trotz despite diˈßpait,**in spite of** in ˈßpait_əv
trotzdem still ßtil,**all the same** ˈo:l ðə ˈßäjm
tun to do du:

241

Tür door do:
Turm tower 'tauə
typisch (für) typical (of) 'tipikl (əv)

U _____

üben to practise 'präktiß
über over 'ouvə,**above** ə'bav;
~ **die Straße** across the road ə'kroß ðə 'roud
überall everywhere 'evriwɛə
Überfall attack ə'täk; (*auf der Straße*) mugging 'maging
Überflutung flood(ing) 'flád(ing)
überfüllt overcrowded ouvə'kraudid
übergeben to hand over händ‿'ouvə
überhaupt nicht not at all not‿ət‿'o:l; ~**s** nothing at all naθing‿ət‿'o:l
überleben to survive ßə'vaiv
überlegen to think something over 'θink ßamθing 'ouvə; **sich etwas** ~ to think about something 'θink əbaut 'ßamθing
übermorgen the day after tomorrow ðə 'däj‿a:ftə tə'morou
übermüdet overtired ouvə'taiəd
Übernachtung overnight stay 'ouvənait ßtäj
übernehmen to take over täjk‿'ouvə
überprüfen to check tschek
überqueren to cross kroß
überraschen to surprise ßə'prais
Überraschung surprise ßə'prais
überreden to persuade pə'ßwäjd
Überschrift heading 'heding
übersehen to overlook ouvə'luk
übersetzen to translate tränß'läjt

übertragen to transfer tränß'fö:
übertreiben to exaggerate ig'sädschəräjt
überzeugen to convince kən'vinß
überziehen (*Konto*) to over-draw ouvə'dro:
üblich usual 'ju:schuəl; **wie** ~ as usual əs 'ju:schuəl
übrig sein be left (over) bi: left ('ouvə)
übrigens by the way bai ðə 'wäj
Übung exercise 'ekßəßais
Ufer (*Flussufer*) bank bänk; (*Meeresufer*) shore scho:; (*Seeufer*) shores *pl* scho:s
Uhr clock klok; (*Armbanduhr*) watch wotsch
UKW *etwa* FM ef'em
um around ə'raund; (*zeitlich*) *auch* about ə'baut; ~ **zu** (**in order**) **to** (in‿'o:də) tə
umfallen to fall down fo:l 'daun
umgeben (von) surrounded (by) ßə'raundid (bai)
Umgebung surroundings *pl* ßə'raundings
umgekehrt the other way round ði‿'uðə wäj 'raund
Umhängetasche shoulder bag 'schouldə bäg
umrühren to stir ßtö:
sich umsehen to look around luk‿ə'raund
umsonst free fri:
Umstände circumstances 'ßö:kəmßtənßis; ~ **machen to make a fuss** mäjk‿ə 'faß
umstoßen to knock down nok 'daun
umtauschen to exchange ikß'tschäjndsch
Umweg detour 'di:tuə
Umwelt environment in'vairənmənt

Reisewörterbuch

Umweltschutz conservation
konßə'väjschn
Unabhängigkeit independence
indi'pendənß
unabhängig (von) independent
(of) indi'pendənt_(əv)
unabsichtlich unintentionally
anin'tenschnəli,**by accident**
bai_'äkßidənt
unangenehm unpleasant
an'plesnt
unbeholfen clumsy 'klamsi
und and änd
undankbar ungrateful an'gräjtfl
unecht not genuine not
'dschenjuin; (gefälscht) **fake** fäjk
unerträglich unbearable
an'beərəbl
Unfall accident 'äkßidənt
ungeeignet unsuitable
an'ßu:təbl
ungefähr about ə'baut,
approximately ə'prokßimətli
ungewöhnlich unusual
an'ju:schuəl
unglaublich incredible in'kredəbl
unglücklich unhappy an'häpi
Unglück (Unfall) accident
'äkßidənt; (Unheil) misfortune
miß'fo:tschn
ungültig invalid in'välid
unhöflich rude ru:d
Universität university
ju:ni'vö:ßəti
Unkosten costs koßtß,**expenses**
ik'ßpenßis
unmittelbar immediate i'mi:diət
unmöbliert unfurnished
an'fö:nischt
unmöglich impossible im'poßəbl
unnötig unnecessary an'neßəßri
unnütz useless 'ju:ßləß
unordentlich untidy an'taidi
unpersönlich impersonal
im'pö:ßnəl
unregelmäßig irregular i'regjulə

uns (to) us (tə) 'aß
unschuldig innocent 'inəßənt
unser our 'auə; **~e our** 'auə
unsicher (ohne Gewissheit)
unsure an'schuə; (ungewiss)
uncertain an'ßö:tn
Unsinn nonsense 'nonßənß
unten at the bottom ət ðə
'botəm; (im Haus) **downstairs**
'daun'ßteəs
unter under(neath) andə('ni:θ)
unterbrechen to interrupt
intə'rapt
Untergeschoss basement
'bäjßmənt
unterhalb below bi'lou,**under**
'andə
Unterhaltung entertainment
entə'täjnmənt; (Gespräch)
conversation konvə'ßäjschn
Unterhaus House of Commons
hauß_əv 'koməns
Unterkunft accommodation
əkomə'däjschn
Unternehmen company
'kampəni,**firm** fö:m
Unterricht lessons pl 'leßns
Unterschied difference 'difrənß
unterschiedlich different 'difrənt
unterschreiben to sign ßain
Unterschrift signature
'ßignətschə
untersuchen investigate
in'veßtigäjt; (ärztlich) **examine**
ig'zämin
Untersuchung investigation
inveßti'gäjschn; (ärztliche)
examination igzämi'näjschn
Untertitel subtitle 'ßabtaitl
unterwegs on the way on ðə
'wäj,**away** ə'wäj; (im Auto) **on
the road** on ðə 'roud
unterzeichnen to sign ßain
ununterbrochen non-stop
non'ßtop,**continuously**
kən'tinjuəßli

243

unverantwortlich irresponsible
iri'ßponsəbl
unverheiratet unmarried
an'märid
unverkäuflich not for sale not
fə 'ßäjl
unverschämt insolent 'inßələnt;
(*Preise*) outrageous
aut'räjdschəß
unverständlich incomprehensi-
ble inkompri'henßəbl;
(*undeutlich*) unintelligible
anin'telidschəbl
unverzeihlich inexcusable
inik'ßkju:səbl
unverzüglich immediately
i'mi:diətli, promptly 'promptli
unvollständig incomplete
inkəm'pli:t
unwahr untrue an'tru:
unwahrscheinlich unlikely
an'laikli; (*toll*) incredible
in'kredəbl
unzufrieden dissatisfied
diß'ßätißfaid
Urlaub holiday 'holədäj
Urlaubsort holiday resort
'holədäj ri'so:t
Ursache cause ko:s
ursprünglich originally
ə'ridschnəli

V _____

Vater father 'fa:ðə
sich verabreden to arrange to
meet ə'räjndsch tə 'mi:t, to make
a date mäjk ə 'däjt
sich verabschieden (von) to say
goodbye (to) ßäj gud'bai_(tə)
veränderlich changeable
'tschäjndschəbl
verändern to change tschäjndsch
Veranstaltungskalender events
guide i'ventß gaid

verantwortlich responsible
ri'ßponsibl
verbergen to hide haid
verbessern to improve im'pru:v
verbinden to combine kəm'bain;
(*telefonisch*) to put somebody
through put ßambadi 'θru:
verboten not allowed not
ə'laud; **Rauchen ~!** no
smoking nou 'ßmo:king
verbrauchen to use up ju:s_'ap
Verbrecher criminal 'kriminl
verbrennen to burn bö:n
verbringen spend ßpend
verdächtig suspicious
ßə'ßpischəß
verdienen to earn ö:n
verdorben (*Lebensmittel*) bad
bäd; (*Magen*) upset 'apßet
verdünnen to dilute dai'lju:t
Verfallsdatum use-by date
'ju:sbai däjt
**vergangen: im vergangenen
Jahr** last year la:ßt 'jiə
Vergangenheit past pa:ßt
vergehen to pass pa:ß
vergessen to forget fə'get
sich vergewissern to make sure
mäjk 'scho:
vergleichen to compare kəm'peə
Vergnügen pleasure 'pleschə
verhaften to arrest ə'reßt
Verhältnis relationship
ri'läjschnschip
verheiratet married 'märid
verhindern to prevent pri'vent
verkaufen to sell ßel
Verkäufer salesperson
'ßäjlspö:ßn
verkehrt wrong rong
verlängern to extend ik'ßtend;
(*Pass*) to renew ri'nju:
verlassen to leave li:v; **sich
~ auf** to rely on ri'lai_on
sich verletzen to hurt oneself
hö:t wan'ßelf

verletzt hurt hö:t
sich verlieben (in) to fall in love (with) fo:l in 'lav (wiδ)
verlieren to lose lu:s
Verlobte fiancée fi'onßäj
Verlobter fiancé fi'onßäj
verloren lost loßt
Verlust loss loß
vermeiden to avoid ə'vojd
vermieten to rent (out) rent_ ('aut)
vermischen to mix mikß
vermissen to miss miß
vermisst missing 'mißing
vernünftig sensible 'ßenßəbl
Verpflegung food fu:d
verreisen to go away gou ə'wäj
verschieben to postpone pouß'poun
verschieden different 'difrənt
verschlafen to oversleep ouvə'ßli:p
sich verschlechtern to get worse get wö:ß
sich verschlucken to choke tschouk
verschütten to spill ßpil
verschwinden to disappear dißə'piə
versichern to insure in'schuə;
~ lassen to have (something) insured häv ('ßamθing) in'schuəd
Versicherung insurance in'schuərənß
Verspätung delay di'läj
versprechen to promise 'promiß
verständlich understandable andə'ßtändəbl
Verständnis understanding andə'ßtänding; **ich habe ~ dafür I can understand it** ai kən andə'ßtänd it
verstecken to hide haid
verstehen to understand andə'ßtänd

Versuch try trai,**attempt** ə'tempt
versuchen to try trai
verteidigen to defend di'fend
Vertrag contract 'konträkt
vertrauen (auf) to trust (in) 'traßt_(in)
vertraulich confidential konfi'denschl
vertraut familiar fə'miliə
verursachen to cause ko:s
Verwandter relative 'relətiv
verwandt (mit) related (to) ri'lajtid_(tə)
verwechseln to mix up mikß_'ap
verweigern to refuse ri'fju:s
verwenden to use ju:s
verwirren to confuse kən'fju:s
verwitwet widowed 'widoud
verwöhnen to spoil ßpojl
Verzeihung! sorry! 'ßori!
Vetter cousin 'kasn
viel a lot (of) ə 'lot_(əv),**lots (of)** 'lotß_(əv); **~e many** 'mäni
vielleicht maybe 'mäjbi:,**perhaps** pə'häpß
viereckig square ßkweə
Vogel bird bö:d
voll full ful
völlig completely kəm'pli:tli
volljährig of age əv 'äjdsch
Vollpension full board ful 'bo:d
von from from,**of** əv
vor in front of in 'frant_əv,**ago** ə'gou; **~ einem Monat a month ago** ə 'manθ_ə'gou; **~ Kurzem recently** 'ri:ßntli
Voranmeldung (advance) booking (əd'va:nß) 'buking
im Voraus in advance in_əd'va:nß
voraussichtlich probably 'probəbli; **es kommt ~ morgen an it's expected to arrive tomorrow** itß ik'ßpektid tu_ə'raiv tə'morou

245

vorbei over ˈoʊvə,**past** paːßt
vorbeigehen to walk past woːk
 ˈpaːßt; **~ an** to pass paːß
vorführen to perform
 pəˈfoːm
vorgestern the day before yesterday ðə ˈdäj biˈfoː ˈjeßtədäj
vorhaben to plan plän
vorhanden available əˈväjləbl
Vorhang curtain ˈköːtn
vorher before biˈfoː:
vorhin earlier on öːliər‿ˈon,a
 while ago ə wail əˈgoʊ
vorig previous ˈpriːviəß; **~e**
 Woche last week laːßt ˈwiːk
vorkommen to happen ˈhäpən;
 (*zum Vorschein kommen*) **to be**
 found biː ˈfaund
vorläufig *adj* temporary
 ˈtemprəri,*adv* for the time
 being fə‿ðə ˈtaim ˈbiːing
vorlegen to present priˈsent
vorletzt last but one ˈlaːßt bət
 ˈwan; **~e Woche** the week
 before last ðə ˈwiːk biˈfoː: ˈlaːßt
Vormittag morning ˈmoːning
vormittags in the morning in ðə
 ˈmoːning
vorn at the front ət ðə ˈfrant,in
 front in ˈfrant
Vorname first name
 ˈföːßt näjm
Vorort suburb ˈßaböːb
Vorschlag suggestion
 ßəˈdschreßtschn
Vorschriften rules ruːls
Vorsicht! careful! ˈkeəfl
vorsichtig careful ˈkeəfl
vorstellen to introduce
 intrəˈdjuːß
Vorteil advantage ədˈvaːntidsch
Vortrag talk toːk
vorwärts forward(s) ˈfoːwəd(s)
vor (*zeitlich*) **before** biˈfoː:

W

Waage scales *pl* ßkäjls
wach awake əˈwäjk
wachsen to grow grou
wackelig shaky ˈschäjki; (*Zahn*)
 loose luːß
wagen to dare deə
Wahl choice tschojß; (*politisch*)
 vote vout
wählen to choose tschuːs
wahr true truː
während (*mit Substantiv*) **during**
 ˈdjuəring; (*mit Verb*) **while** wail
Wahrheit truth truːθ; **die**
 ~ sagen to tell the truth tel ðə
 ˈtruθ
Wald wood wud,**woods** *pl* wuds,
 forest ˈforißt
walisisch Welsh welsch
Wand wall woːl
wann when wen
Ware product ˈprodakt,*pl* **goods**
 guds
warm warm woːm
warten (auf) to wait (for)
 ˈwäjt‿(fə)
Wärter attendant əˈtendənt
warum why wai
was what wot
Waschbecken sink ßink
Wäsche washing ˈwosching
waschen to wash wosch
Waschmittel detergent
 diˈtöːdschənt
Wasser water ˈwotə
Wasserhahn tap täp
WC toilet ˈtojlət
wechseln to change tschäjndsch;
 (*austauschen*) **to exchange**
 ikßˈtschäjndsch
wecken to wake (up)
 wäjk‿(ˈap)
Wecker alarm clock əˈlaːm klok
weder … noch neither … nor
 ˈnaiðə noː:

weg away ə'wäj; (*gegangen*)
  gone gon; (*nicht zu Hause*) out
  aut
Weg path pa:θ,(*Route*) **way** wäj
wegen because of bi'kos_əv
wegfahren to leave li:v,**to go
  away** gou ə'wäj
weggehen to go away gou
  ə'wäj
wehtun to hurt hö:t
weiblich female 'fi:mäjl; (*Wesen*)
  feminine 'feminin
weich soft ßoft
weil because bi'kos
weinen to cry krai
weit *adj* far fa:; **~e Entfernung
  long distance** long 'dißtənß;
  ~ weg far away fa: ə'wäj;
  (*ausgedehnt*) **vast** va:ßt; (*breit*)
  adj **wide** waid
weitergehen to move on
  mu:v_'on
welcher which witsch; **welches
  which** witsch
Welt world wö:ld
weltweit worldwide wö:ld'waid
wenden to get in touch with
  get_in 'tatsch wið,**to turn to**
  'tö:n_tə; **sich ~ an** to ask a:ßk
wenig little 'litl,**not much** not
  'matsch; **~e few** fju:,**~e not
  many** not 'meni; **~er less** leß
wenn (*bedingend*) **if** if; (*zeitlich*)
  when wen
wer who hu:
Werbung advertising
  'ädvətaising
werfen to throw θrou
Wert value 'välju:
wert worth wö:θ
Wertsachen valuables 'väljuəbls
weshalb why wai
Wespe wasp woßp
Westen west weßt
westlich west weßt
wichtig important im'po:tnt

wie how hau
wieder again ə'gen
wiederholt repeatedly ri'pi:tədli
wiederkommen to come back
  kam_'bäk
wie geht's? how are you?
  hau_'a: ju:?
Wiese lawn lo:n
wieso why wai
wie viel how much hau 'matsch;
  (*e*) **how many** hau 'meni
winzig tiny 'taini
wir we wi:
wirksam effective i'fektiv
Wirtschaft economy i'konəmi
wischen to wipe waip
Wischlappen cloth kloθ
wissen to know nou
Wltz juke dschouk
wo where weə
Woche week wi:k
Wochenende weekend wi:k'end;
  am ~ at the weekend ət ðə
  wi:k'end
wöchentlich *adj* **weekly** 'wi:kli,
  adv **every week** evri 'wi:k
sich wohlfühlen to feel all right
  fi:l o:l 'rait
wohnen to live liv
wohnen (bei) (*vorübergehend*)
  to stay (at) 'ßtäj_(ət),**to stay
  (with)** 'ßtäj_(wið)
Wohnzimmer sitting room
  'ßiting ru:m,**living room** 'living
  ru:m
Wolke cloud klaud
Wolldecke blanket 'blänkit
wollen to want wont
Wort word wö:d
Wörterbuch dictionary
  'dikschənri
Wunsch wish wisch,**desire** di'saiə
wünschen to wish wisch;
  (*wollen*) **to want** wont
wütend furious 'fjuəriəß

zahlen to pay päj
zählen to count kaunt
Zahlung payment 'päjmənt
Zeichen sign ßain; (Signal) signal 'ßignəl
zeigen to show schou
Zeit time taim; **zurzeit** at the moment ət ðə 'moumənt
Zeitschrift magazine mägə'si:n
Zeitung paper 'päjpə
zentral central 'ßentrəl
Zentrum centre 'ßentə
Zettel piece of paper pi:ß_əv 'päjpə; (Notiz) note nout
Zeug stuff ßtaf
Zeuge witness 'witnəß
ziehen to pull pul; **es zieht** there's a draught ðes_ə 'dra:ft
ziemlich quite kwait
Zimmer room ru:mschat
zu (nach) to tə; (geschlossen) closed klousd; (übermäßig) too tu:
zuerst first fö:ßt,**firstly** 'fö:ßtli
Zufall chance tscha:nß; **durch ~ by chance** bai 'tscha:nß
zufällig accidental äkßi'dentl; adv accidentally akßi'dentli,**by chance** bai 'tscha:nß
zufrieden satisfied 'ßätißfaid, **happy** 'häpi
zugeben admit əd'mit
Zugluft draught dra:ft

zugunsten in favour of in 'fäjvər_əv
zuhören, j-m to listen 'lißn
Zukunft future 'fju:tschə
zumachen to close klous,**to shut** schat
zunächst first fö:ßt,**firstly** 'fö:ßtli
zunehmen (an Gewicht) **to put on weight** put_on 'wäjt
zurück back bäk
zurückgeben to hand back händ_'bäk
zurückkommen to come back kam_'bäk
zurücknehmen to take back täjk_'bäk
zusammen together tə'geðə
zusätzlich additional ə'dischnəl, **additionally** ə'dischnəli
Zuschlag extra charge 'ekßtrə 'tschadsch,**surcharge** 'ßö:tscha:dsch
zusehen to watch wotsch
Zustand condition kən'dischn, **state** ßtäjt
zuständig responsible ri'ßponsibl,**in charge** in 'tscha:dsch
zustimmen to agree ə'gri:
zuverlässig reliable rl'läləbltoo many 'tu: 'meni
Zweck purpose 'pö:pəß
zwingen to force fo:ß
zwischen between bi'twi:n
zwischendurch in between in bi'twi:n

Englische Schilder und Aufschriften

A

a.m. morgens; vormittags
address Adresse
admission [charge] Eintritt
admission free Eintritt frei
adults Erwachsene
adults only nur für Erwachsene
advance bookings Vorverkauf
airport Flughafen
arrivals Ankunft

B

b & b Pension
bakery Bäckerei
bank Bank
bank holiday Feiertag
barber Herrenfriseur
basement Tiefparterre
bed and breakfast Pension
beware of the dog Vorsicht bissiger Hund
bicycle Fahrrad
bicycle hire Fahrradvermietung
books Buchhandlung
bookseller Buchhandlung
bridge Brücke
bureau de change Geldwechsel
bus Bus
bus lane Busspur
bus stop Haltestelle
butcher Fleischer

C

campsite Campingplatz
car park Parkplatz
car rental Autovermietung
caution! Achtung!
centre Zentrum
change Kleingeld, Wechselgeld
  no change given keine Geldrückgabe
children Kinder
church Kirche
closed geschlossen
coin Münze
cold kalt
collection *(auf Briefkästen)* Leerung
  next collection nächste Leerung
come in! Herein!
concession Ermäßigung
crossroads Kreuzung
customs Zoll

D

danger! Gefahr!
day Tag
  dish of the day Tagesgericht
  day return Tagesrückfahrkarte
dead slow Schritt fahren
delayed Verspätung
departures Abfahrt; Abflug
deposit Kaution
diesel Diesel
diverted traffic Umleitung
docks Hafen
drinking: not for drinking! Kein Trinkwasser!
drive slowly langsam fahren
dry cleaner's Reinigung
dual carriageway Schnellstraße

E

emergency Notfall
emergency exit Notausgang
emergency number Notruf

engaged besetzt
English englisch
enter eintreten
  please enter Bitte eintreten
entrance Eingang, Einfahrt
  do not obstruct entrance!
  Einfahrt freihalten!
no entry! Kein Eingang!,
  Kein Eintritt!, Betreten verboten!
escalators Rolltreppe
Europe Europa
evening Abend
exit Ausgang, Ausfahrt
  do not obstruct exit! Ausfahrt freihalten

F

fair Messe (Handelsmesse)
fire Feuer
  fire assembly point Sammel-
  platz bei Feueralarm
  fire brigade Feuerwehr
  fire exit Notausgang
first aid Erste Hilfe
first class and abroad
  (auf Briefkästen) Inlandsbriefe,
  die am nächsten Tag zu-
  gestellt werden, und Aus-
  landsbriefe
fishmonger Fischgeschäft
fitting rooms Umkleidekabinen
flight Flug
  domestic flights Inlandsflüge
  international flights Aus-
  landsflüge
floor Stockwerk
  ground floor Erdgeschoss
four-star Super (Benzin)
free gratis
fresh fish Fischgeschäft
friday Freitag

G

gentlemen Herren (Toilette usw.)
gents Herren (Toilette usw.)
German deutsch
give way Vorfahrt beachten
goodbye! Auf Wiedersehen!
greengrocer Obst- und Gemüsehändler
group Gruppe

H

hairdresser Friseur
handmade handgemacht
help! Hilfe!
hot heiß
hotel Hotel
hour Stunde
hrs Stunden
humps for 2 miles Rüttel-
  schwellen auf 2 Meilen

I

identification / ID Personalausweis
incl. / included inbegriffen
information Auskunft

J

jewellery Juwelier
junction Kreuzung

K

keep halten
  keep calm Ruhe bewahren
  keep clear freihalten
  keep off Betreten verboten,
  fernhalten

L

ladies Damen (*Toilette usw.*)
lane Fahrspur
  get in lane bitte einordnen
last letzter
launderette Waschsalon
lean out hinauslehnen
  do not lean out nicht hinauslehnen
left links
  no left turn links abbiegen verboten
let vermieten
  to let Zu vermieten
letters Briefe
lunchtime Mittagszeit

M

main post office Hauptpost
market Marktplatz
  covered market Markthalle
meal Mahlzeit
  set meal Menü
men Herren (*Toilette usw.*)
menu Speisekarte
mins Minuten
Monday Montag
morning Morgen
mornings vormittags, morgens
motorway Autobahn

N

national national
night Nacht
  at night nachts
no smoking Rauchen verboten, Nichtraucher
northbound Richtung Norden
note Geldschein

O

occupied belegt, besetzt
one-way street Einbahnstraße
open geöffnet
opening hours Öffnungszeiten
opening times Öffnungszeiten
optician Optiker

P

passport Reisepass
  all other passports Alle übrigen Pässe
  EU passports EU-Pässe
pay and display Parkplatz, auf dem der Parkschein sichtbar im Fahrzeug hinterlegt werden muss
pay here Kasse
permit holders only Parken nur mit Berechtigungsschein
petrol Benzin
photographer Fotogeschäft
police Polizei
post office Postamt
poste restante postlagernde Sendungen
pound Pfund
press drücken (*auf Knopf etc.*)
private privat, kein Zutritt
prohibited verboten
pull ziehen (*Türaufschrift*)
push drücken (*Türaufschrift*)

R

ramp Auffahrt
reception Rezeption
reduce speed now langsamer fahren
request stop Bedarfshaltestelle
rescue service Rettungsdienst
return Rückfahrkarte

right rechts
  no right turn rechts abbiegen
  verboten
road Straße
road narrows
  Straßenverengung
roadworks Straßenarbeiten
rooms vacant Zimmer (frei)

S

sale Schlussverkauf
  for sale zu verkaufen
Saturday Samstag, Sonnabend
self-service Selbstbedienung
senior citizens Senioren
service Gottesdienst
shoe repairs Schuhmacher
signature Unterschrift
single Einzel(fahrkarte)
slow langsam (fahren)
smoking area Raucher
smoking section Raucher
southbound Richtung Süden
special offer Sonderangebot
speed limit 20 mph Geschwin-
  digkeitsbegrenzung 20 Stundenmeilen
stamps Briefmarken
station Bahnhof
straight ahead geradeaus
street Straße
Sunday Sonntag
super unleaded Super bleifrei
supermarket Supermarkt

T

taxi Taxi
through road
  Durchgangsstraße
  no through road keine Durch-
  fahrt
Thursday Donnerstag

ticket Karte
tip(ping) Trinkgeld
tobacconist Tabakwarenladen
toilets Toiletten
touch berühren do not touch
  Bitte nicht berühren
tourist information Touristeninformation
town hall Rathaus
trade fair Handelsmesse
traffic Verkehr
travel agent Reisebüro
Tuesday Dienstag

U

Underground U-Bahn
unleaded bleifrei
urban clearway Straße mit Hal-
  teverbot

V

vacant frei
valid gültig

W

no waiting Parken verboten
way out Ausgang, Ausfahrt
WC Toilette(n)
Wednesday Mittwoch
weekdays wochentags
wet paint frisch gestrichen
wheelchair access Eingang für
  Rollstuhlfahrer
women Damen (*Toilette usw.*)

Y

yds (= *yards*) etwa: Meter
youth hostel Jugendherberge

254

Leichtigkeit
beginnt mit **L**

Alles rund ums Sprachenlernen auf
www.langenscheidt.de